万叶文化
ONE PAGE

何昆——

作品

Man in the
Problem
of the House

by He Kun

 四川人民出版社

＜ 引子 ＞

2012年2月15日下午六点零五分。

C市，下起了细雨，整个城市笼罩在薄雾之下，透过雨雾蒙蒙的空气，能模糊地看到华灯初上的夜景，五彩斑斓，如在梦中，雨滴撞击钢筋混凝土的声音令人内心悸动。这里是崛起于东方的一颗明珠。

潘氏地产香樟园小区北区施工工地，工人们已经结束了一天的忙碌，偌大的工地浸在昏暗中，一座座尚未完工的高楼如同黑夜中的怪物，楼身上的窗口像是一张张深不见底的大嘴，要将一切吸过去，嚼碎咬烂。白日里光鲜的住宅，此时显示出它的真面目，置身其中，令人毛骨悚然。

香樟园小区北区的角落中，潘氏地产董事长兼总裁潘岩四处张望，不停地看表，他在等人。

五分钟后，他等得不耐烦了，愤愤地掏出手机，拨通了电话。然而，电话响了一声就被挂断了，潘岩愤怒地吼叫道："混蛋，你是成心耍我吗？"

以潘岩的身家和地位，能让他在这种天气中苦苦等候的人着实不多。但，这个人，他今天必须见到。潘岩明明看到了希望，看到了改变自己和家族命运的希望，只要今天会面成功，他就有可能成为这个领域、这个城市甚至是这个国家的一个传奇人物。

但是，他不知道，他等来的将是一场噩梦。

黑夜中，潘岩的身后，一个黑影猛地蹿出，迅捷地用绳索勒住了潘岩的喉咙，猛地拉紧。潘岩下意识地用双手去抓勒在自己脖子上的绳索，但是，那人的双臂就像是一柄铁钳，任凭潘岩如何挣扎，也无济于事。

"咯吱吱"，坚韧的绳子勒破了潘岩的皮肤，勒进了肉里，扎住了血管，就连骨头都要被勒断了。

潘岩能听到背后那人粗重的喘息，就像是地狱野兽的低吟。这声音与潘岩自己从喉咙中挤出来的干呕声混杂着，淹没在小区外街道上传来的阵阵发动机的轰鸣声中。潘岩的神智开始模糊，他翻着白眼，努力地转身，想要看清楚是谁害他，但是，最终他也没有看到。

瞳孔迅速放大，舌头伸出，双脚离地垂死挣扎着乱蹬。

痛苦的经历持续了许久。

终于，潘岩的头耷拉下来，身子像是失去了骨架，萎谢了。他双眼圆睁，死不瞑目，他原本有希望冲击世界的，但是现在，他能冲击的唯有水泥地面了。

潘岩的尸体重重地摔在了水泥地上。这个身家数十亿、养尊处优、少年得志的尊贵人物，就这样尘归尘，土归土，如同他来到这个世界的时候一样，卑微得一无所有地离去。

凶手没有离去，他俯瞰着死去的潘岩，弯下身，贴在潘岩身边，他要把整个凶杀案完成。他知道，他已经没有回头路了，他必须做下去，将整个计划"完美"地实施。

很奇怪，此刻的他非但没有悔恨和惊慌，反而有了一种从未有过的满足感，一种变态的虚荣心喷薄而出，令他看着躺在地上的潘岩的尸体就像是观赏一件艺术品，一件他亲自创造的艺术品。

接下来，凶手做了一个动作，一个他筹划已久的动作，他相信，这个动作会让这起凶杀案成为"完美犯罪"，他相信，这个动作将会使他的"艺术品"成为不朽。

罪恶，在高楼之间完成了。

当凶手将一切要做的事情做完以后，他才淡定地转身离去。

但是，凶手却不知道，就在他走后，一个身影从不远处的角落中转了出来，如幽灵一般走到了潘岩的尸体前……

<　一　>

2011年冬的C市格外寒冷，夜幕降临，华灯初上。这座拥有两千万人口的城市，约有近半数人没有本地户口，他们中的大多数没有自己的房子，他们在这里生活，在这里奋斗，希望有朝一日买得起这里的房子，成为这里真正的市民。

在城南一个城中村的隔断式出租屋中，一对青年伴侣正聚在被窝中，依偎在一起，观看着一档颇受欢迎的相亲类娱乐节目。在电暖气和彼此体温的作用下，这个不足三十平方米的小屋充满了暖意，户外的寒风和冰冷似乎都与这个屋子绝缘了。

看着光头主持人插科打诨式的诙谐，这个叫夏莹莹的女孩被逗得咯咯地笑了起来。她捧着一杯热奶茶，头靠在男朋友陈升结实强健的肩上。

对于陈升而言，这个时候就是他一天中最快乐的时光。与自己心爱的女人相依相偎，看着她笑，与她亲热，没有了工作的劳累和生活的烦恼，他感到自己很幸福。也只有在这个时候，他才会觉得他在这座城市付出的一切都是值得的。

他看着她的脸庞。她很美，雪白细腻的皮肤像牛奶一样，清淡的眉毛和一双黝黑明亮的眼睛相得益彰，那双眼睛一笑起来就眯在一起，弯弯的，格外好看。粉嫩的小嘴微微噘着，十分惹人怜爱。陈升能嗅到夏莹莹身上散发出来的幽幽的香气，令他陶醉。

这时，节目中那熟悉的过场音乐响起，到广告时间了。夏莹莹将奶茶放在一旁，伸了伸懒腰，说："先休息一下吧。"

看到陈升怔怔地看着自己，夏莹莹娇媚一笑，指着陈升的鼻子问："你个坏小子又在想什么？"

陈升回过神来，他深吸一口气，学着黄梅戏的语调答道："我在想，若能娶妻如此，夫复何求。"

夏莹莹被逗得又咯咯地笑了起来。

陈升最爱看她笑的样子，真美。

然而，就在他细细品味她的笑的时候，隔壁传来的声音将二人从亲昵的气氛中硬拽了出来。

女人的喘息声和"咯吱咯吱"的床响声透过薄薄的几层木板传来，能听得很清楚。

是隔壁夫妻发出的声音。

夏莹莹的笑容立刻转变成了无尽的忧愁，她原本白皙的脸上泛起潮红，低声道："又是这个时候开始了，也不顾及邻居的感受，真是没素质。"

陈升却看得开："嗨，这是人之常情嘛，谁也免不了的事，别太在意了。"

夏莹莹的嘴噘得更高了，她看着那面"墙"，埋怨道："这种用板子隔开的房间一点也不隔音，没任何隐私，烦死了。"

陈升一看夏莹莹又提起房子，立刻岔开话题："放心，我对那哥们儿了解，用不了三分钟，马上就结束了。"

夏莹莹一愣，随即明白了男朋友的意思，她抿嘴一笑，挥拳轻轻打在了陈升厚实的胸肌上："讨厌。"

陈升嘿嘿一笑，点燃了一支香烟，抽了起来，心中颇为自己的机智满意：只要不提房子就行。

然而，陈升的烟刚噙到嘴里，夏莹莹一把将烟夺了过来，嗔道："告诉你多少次，不许在床上抽烟。"

说着，她随手将燃着的香烟摁在了刚才她喝的奶茶杯中，又说："更何况，咱们这房子这么小，你抽烟连散气的地方都没有。"

说着，她的脸色再度沉了下来。

陈升暗暗叫苦：妈呀，怎么又绕到房子上了。

夏莹莹看着陈升，很郑重地问："陈升，咱俩从老家就认识，到上大学，再到现在，十九年了，你告诉我，我们什么时候能在这座城市拥有自己的房子呢？"

陈升没有回答，房间中沉默的气氛与隔壁越发激烈的床响声和呻吟声形成鲜明的对比。

受不了这尴尬的氛围，陈升轻轻搂了搂夏莹莹，柔声说："莹莹，快了，我设计的楼盘排水系统就快有结果了，那时候，我就会有些名气，挣得也会更多，我们也就能买房子了。"

夏莹莹将头轻轻贴在他的胸口，说："我相信你，你一定会成功的。"

陈升顿了顿，却问："可是，你有没有想过，万一我成功不了呢？"陈升自己清楚，所谓的"就快有结果了"，其实是个未知数，他的方案因为老董事长的去世而被搁置了。

夏莹莹抬起头，望着陈升，认真地答道："即便你无法成功，我也会永远和你在一起，因为我知道，我爱你。"

陈升有些激动，他紧紧地搂住女友，在她耳畔说："莹莹，你知道吗，你就是我的一切，我发誓一定会在这座城市拥有属于我们自己的房子。"

陈升感觉到夏莹莹的头在自己的怀里狠狠地点了点，那是一个女人对他的信任。

这时，隔壁的"交响乐"已经停止。节目的音乐再次响起。

夏莹莹听到主持人和一个嘉宾吵了起来，立刻饶有兴致地凑过去看。

陈升看着女友娇小的背影，他感到有些心酸，但随即，这感觉就被一股奋斗精神取代，他相信，总有一天，他会给她一个舒适温暖的家——一套房子。

<　二　>

夏莹莹睡了一整夜，陈升则熬了大半夜，他在电脑前反复修改自己的设计方案，直到凌晨三点，他才揉着酸疼的腰上床。

翌日清晨。

只睡了四个小时的陈升从被窝中坐起来，他拿起床头上的闹钟，距离设定的七点钟报时还差三分钟。长期按时起床已经让陈升形成了生物钟，绝大多数时间都是他"叫醒"闹钟。据说像他这种人的自制力比较强，不过，他自己却未以此为荣，因为在社会上这种自制力并没有让他更加成功，他发现很多散漫不努力的人跑到了他前面，所以他对自己这种过人的自律精神并不感到多么自豪。

陈升拍了拍睡得正香的夏莹莹："莹莹，该起床了，再不起就要迟到了，从这到咱们公司要坐好几站地铁呢。"

夏莹莹睁开惺忪的睡眼，哼唧道："唉，真想睡觉睡到自然醒。"

两人起床后，陈升用十分钟解决了梳洗打扮的活，夏莹莹用了半个小时。夏莹莹将自己打扮得很漂亮，淡淡的妆，粉红的嘴唇，让她就像是一个电影明星一样，即便是廉价的发卡和衣服也无法掩盖她的光彩。

陈升看夏莹莹又打扮得这么美，便问："莹莹，你说你一个公司医护室的护士天天这么打扮干吗？"

夏莹莹撇了撇嘴，俏皮地说道："怎么，你有危机感了？"

陈升点点头："嗯，你这么漂亮，我没危机感才怪。"

夏莹莹不以为然，高傲地昂了昂头，她上前挎住陈升的胳膊，以一种皇后的姿态和语气说道："小升子，莫怕，只要你死心塌地跟着本宫，本宫是不会亏待你的，走，陪本宫去地铁站。"

陈升随声附和道："遵命。"

两人正要出门，陈升猛地转回房中，他拎出来一个饭盒，说："忘了它中午娘娘怎么用膳啊？"

陈升每天中午都要用这个饭盒打好饭送给夏莹莹。

夏莹莹满意地点了点头："嗯，还是小升子心细，干得不错，本官今晚会重重赏你的。"

陈升当然知道这个"赏"意味着什么，他笑着问道："哈哈，真的吗？"

夏莹莹看陈升眉飞色舞的神态，嫣然一笑，将头靠在了他的胳膊上。夏莹莹一米六三，陈升一米八三。

他俩在同一家公司工作，他们的公司在这座城市的北部，而他俩的住处是这座城市的南部。这里是一座即将拆迁的城中村，虽然脏乱且拥挤，但房租低廉，因此是许多外来务工人员和刚毕业的学生们的首选。这里到处都是被隔成十几块甚至几十块的房屋，里面住满了人。每天上下班的时候，这里都会人满为患，狭窄的街道拥挤不堪，人与人几乎要侧着身子才能走过。人们早出晚归，密密麻麻地来又密密麻麻地去，这群人被称作"蚁族"。

陈升和夏莹莹挤出"蚁族村"，步入更加拥挤的地铁站，挤上地铁。他们在拥挤得令人窒息的地铁车厢中穿行于这座城市的地下，看着人山人海来来往往，陈升总会想：也许人类就如同蝼蚁一样，而自己就是这芸芸众生中的一员。

四十分钟后，夏莹莹到站了，她和陈升告别，而陈升还要再坐一站。他俩虽然在一家房地产公司工作，但是这家公司却分为南北两个区域，且中间不通，夏莹莹在南区，陈升在北区，从南区大门绕到北区大门开车也要十分钟，步行就更慢了。夏莹莹从这里下地铁正好到南区大门，而陈升必须再坐一站，这样离北区大门更近些。

当陈升从地铁站出来，走到公司北大门时，他仰望着办公区雄伟的大门以及办公区后面正在施工的楼盘，心情有些复杂，他既得意于自己参与设计的楼盘，又对这儿超高的房价畏惧。

每当仰望那高耸的楼盘，陈升总会情不自禁地想起李白的《夜宿山寺》："危楼高百尺，手可摘星辰。不敢高声语，恐惊天上人。"

诗仙颇具意境的诗篇令陈升无数次幻想自己置身高楼，俯瞰都市的情景，只是，拥有一套属于自己的楼房，对他而言仿佛无比遥远。

此情此景，让陈升感到些许失落。他哂笑一声，低声自嘲道："有时候真不知道自己这一生有何意义。"

陈升扭身正要离去。

忽然，在建筑工地前，他看到一个熟悉的身影，恰巧那人也正好转身看到他，两人相距十几米，四目相对。

"啊！"陈升眼前一亮，"吴哲，是你吗？"

〈 三 〉

陈升对面的那人是个身材瘦高的男子，他身穿一件黑色的风衣，一头毛寸短发显得很精神。他面容清瘦，看起来棱角分明，一双眼睛炯炯有神，这个人给人的第一印象就是四个字——精明强干。

陈升问道："你是吴哲吗？"

叫吴哲的那人也看到了陈升，他指了指陈升，肯定地说："你是陈升！"

"是我，你真的是吴哲？！"

"哈哈，不是我是谁啊，老同学！"

陈升喜出望外，快步走了过去，那人也快走几步，两人离得近了，相互拥抱了一把。

"嘿，这么多年没见，你小子没怎么变嘛，身体还是这么壮实，平时没少锻炼吧。"吴哲朝陈升的胸部猛捶了一下。

陈升笑道："你倒是变化挺大，皮肤晒黑了，人也精神多了。"

吴哲眼睛向上看，算了算，说："咱们有十年没见了吧？"

陈升则说："十一年。"

"是啊，从高中毕业到现在，是十一年了。"吴哲感慨道，"真没想到在这遇到了。"

"是啊，时间过得真快。一转眼十一年了。"

吴哲笑道："都说岁月是把杀猪刀，我看这把刀还不够快，我感觉和你前几天才分开。"

陈升也笑了，面前这位曾经的挚友让他回忆起无数美好的少年时光，两人见面不足五分钟就立刻产生了共鸣。

吴哲回忆道："当初咱们睡在上下铺，一张桌子吃饭，就连洗澡都用一条毛巾，上课时偷着拼俄罗斯方块，下课后翻墙去网吧，晚上和宿管员打游击。唉，一晃十一年了，可我真觉得这一切就是前几天才发生的，好怀念那时候，永远也忘不了。"

"是啊，那时候咱们两人买一个烧饼，抢着吃，生怕自己吃亏，最后把烧饼抢得粉碎，谁也没吃成，哈哈。"

"你还有脸说，你小子把生活费都花在谈恋爱上了，结果没钱了就来蹭我的饭，害得我吃不饱。"

"嘿嘿，谁叫咱们关系铁呢。"

　　高耸的建筑群下，两个久别重逢的挚友交谈着，年轻的热血驱散了寒冬，两人心中似乎都有一团火。

　　吴哲问道："陈升，你从高中毕业后就没了消息，这些年你干什么呢？"

　　陈升从兜里拿出一包"中南海"，抽出两支，递给吴哲一支。吴哲摆了摆手，说："不了，我不抽烟。"

　　陈升便自顾自地点了一支烟，然后回答吴哲的问题："我高中毕业后考上了大学，然后就工作，一直到现在。"

　　"你上的什么大学啊？"

　　"Q大学。"

　　"Q大学？什么系？"

　　"建筑设计。"

　　"咦，那挺不错的。你现在做什么工作啊？"

　　陈升看了看吴哲，笑道："你怎么跟个警察似的，问得这么仔细。"

　　吴哲不好意思地笑了笑。

　　陈升还是回答了吴哲的问题："我现在的工作就是做建筑设计，你看，这楼盘我也参与设计了。"

　　陈升说着指了指身旁的高楼。

吴哲啧啧赞道："想不到啊，你现在都成设计师了，了不起！"

陈升有点不好意思："嗨，我可不是什么设计师，就是个设计员，混口饭吃罢了。"

"这房子，好啊。"

"还行，从设计师的角度来看，结构合理，适于居住。这个房子的结构是筒式的，设计时充分论证了剪力墙的应用，楼房材料都是国际上流行的成熟材料，幕墙用材很讲究，质量绝对没有问题。你再看这里的容积率和绿化比例，都是同价位小区没有的。"

"嘿嘿，看来你真是内行啊，我觉得你可以去做销售了。"

"做销售我是外行，我是负责设计的，我只能说这种'危楼'是性价比比较高的楼盘。"

"危楼？"吴哲不解。

陈升忙解释："哦，你别误会，我说的危楼不是要拆的楼，而是高楼的意思。你没听过李白的那首诗吗？'危楼高百尺，手可摘星辰'，碰到你之前我正在想着这首诗，结果刚才下意识地就用上了。"

吴哲摇着头笑道："老同学，你对文史的兴趣依旧不减，上学时你就是文史迷，我还纳闷你怎么没有考文史专业呢。"

陈升不想再谈论自己，主动换了个话题说："对了，别总说我啊，你现在做什么呢？"

"我是警察。"吴哲很干脆地回答。

"啊？"陈升一愣，"你真是警察？"

吴哲略带感慨地答道："对，我高中毕业后考上了公安大学，所以就顺理成章地做了警察。现在想起来真是讽刺，当初我最不想做的就是警察，结果还是做了，你说这算不算宿命啊？"

吴哲的话听起来有些"无厘头"，但是陈升清楚他说这话的意思。吴哲与陈升是高中同学，也是老乡，两人是高中时最铁的哥们儿，在教室是同桌，在寝室是上下铺，彼此十分了解。陈升知道，吴哲的父亲是当地公安局的副局长，由于工作繁忙很少照顾家，因此吴哲少年时很抵触警察这个职业。

陈升问："你在哪做警察？"

"就在C市。"

陈升本想夸赞吴哲几句，但是他一想到自己的处境，竟不知如何开口了。

吴哲望着正在施工的大楼，摇了摇头，说："C市什么都好，就是房价太高，高得有点离谱。我打算买套房子，但是找了几个月也没找到合适的。我看你们这楼盘还不错，你看，这里交通便利，配套设施齐全，你们的规划图我也看了，很不错。"说着，吴哲笑问陈升，"老同学，你也算是内部人员，怎么样，有没有折扣给我点？"

陈升一听，脸上有些发烧，支吾道："我……这事我恐怕帮不上忙，我……"

吴哲看陈升有些尴尬，便说："你别为难，我也就是随口问问。"

接着，两人相对，陷入了沉默。

还是吴哲打破了僵局，他笑着对陈升说："嘿嘿，辛勤工作的设计员，注意自己的身体啊，别整天坐在电脑前熬夜，腰出了问题以后就麻烦了。"

这句话令陈升一愣，不由得脸带惊讶："咦？"那神情分明在问吴哲：咱俩这么久没见面，你怎么知道我常在电脑前熬夜，又怎么知道我腰不好？你小子不会一直暗中监视我吧？

吴哲似乎看透了他的心思，主动回答："我可没有特异功能，我只是通过你的外表判断出来这些的。"

"我怎么了？"

"你的眼圈发黑，眼袋很明显，这是熬夜的表现。你眼球发红，这不是看电脑造成的就是看手机造成的。考虑到你的工作，我猜测多半是看电脑造成的。至于你的腰，很简单。"吴哲说着，将两只手摆平，然后左上右下、右上左下地比画了两下，"因为我刚才发现你走路时腰上下晃动幅度较大，那是长时间保持不良坐姿导致的，据此我更确信你是在电脑前坐得太久了。"

吴哲的推理分析勾起了陈升的欲望，他那颗早已被磨得光滑、没有了棱角的心又有了一丝冲动，他跃跃欲试想和吴哲比试一番。但是，最终，他轻叹一声，放弃了这种无谓的争强好胜。他淡然一笑，恭维道："不愧是做警察的，分析推理能力确实厉害，佩服佩服。"

吴哲耸了耸肩膀，没有丝毫得意的神态。

陈升低头抽了口烟，丢掉烟蒂，看了看表，说："吴哲，不好意思，我上班要迟到了。"

"嗯，你先去忙吧。我再转转，看看房子。"

"你不上班吗？"

"刚破了个案子，领导给我两天假，我这两天是休假状态。"

"那好，再联络吧。"

陈升的身子本已扭了过去，忽然，他又回过头来对吴哲说："吴哲，你要是打算买这里的房子，我可以给你点建议，不过不一定管用。"

"说说看。"

"你去售楼部找一个叫陈雪的售楼小姐，就说是我介绍的，她或许能给你优惠一个点。不过我也不知道她还有没有这种优惠房。你去试试吧。"

"好，我记住了。不过……不过这种事情可不像你的所作所为啊，在我的印象中你可是循规蹈矩的人。"

陈升尴尬一笑，现在的他丝毫不会将"循规蹈矩"这个词当作褒义词，所以他也不认为吴哲说自己是"循规蹈矩的人"是一种赞美。以他的人生经验，"循规蹈矩"和"loser"几乎成了同义词。陈升低声说："总之，去试试再说吧。"

"好的，我会去，就说是你介绍的。"吴哲说着，好像想起了什么，问，"陈升，我忘了问你。你有夏莹莹的消息吗？"

陈升、吴哲、夏莹莹是高中同学。当年陈升和吴哲以及很多男同学都追过夏莹莹，最终，陈升是胜出者。

提起夏莹莹，陈升笑了："嘿嘿，她还是我女朋友。"这是陈升在和吴哲的对话过程中唯一一次充满自信地笑着说话。

"哦——你小子，深藏不露啊。"吴哲指着陈升，笑道，"不过你们也真可以，十年不变的爱情啊。这样吧，我中午没事，请你俩吃饭，一起叙叙旧，怎么样？"

"我现在也不确定我们有没有时间，最近公司比较忙，中午再联系吧。"陈升这次回答得干脆利索，夏莹莹给她的自信使他又变成了那个聪明果断的人。

"好。"吴哲也明显感觉到了陈升前后的变化，他心中暗叹，爱情能让一个人发生如此大的变化吗？

然而，这还不是最令吴哲惊讶的，最令他惊讶的是，陈升临走前朝他嘿嘿一笑，说："再见了，神枪手刑警同志。"

这一回，轮到吴哲愣了，"神枪手"的称呼和"刑警"的身份他并没有说，陈升怎么会知道得这么准确？

吴哲还没有来得及发问，陈升就边缓步离去边回头解释道："你皮肤黝黑，那是经常户外活动造成的，说明你做的是外勤工作。你又说自己刚破了案子，再加上你刚才过人的推理分析能力，据此我判断你多半是刑警。至于'神枪手'，是因为我俩刚才握手时我发现你右手中指第二关节处茧子很厚，那是经常打枪磨的吧？"

陈升说着，已经走出老远了。最后，他朝吴哲狡黠一笑，然后便消失在办公楼内。

看着陈升远去的身影，吴哲笑着摇了摇头，自言自语："这个陈升，真是有意思……"

< 四 >

　　这是最普通的办公室，四个人一组的拼装办公桌，每个人拥有一平方米的空间。陈升的办公桌上面除了一台电脑和堆积如山的资料，就是他和夏莹莹的合影照。陈升坐到办公桌前，暗暗吐了口气，他看了看合影照，心情舒缓不少。

　　这个不起眼的办公桌对他而言意味着很多事情。租的房子只能称得上一个休息的场所，只有在这里他才能有一点属于自己的私人空间。他是设计学院毕业的高才生，在这里他才能静下来，把自己所有的创意和知识都发挥出来。

　　他觉得自己很幸运，不是吗？在这座城市中，有多少人能做自己专业所学的工作？又有多少人能做自己喜欢的工作呢？

　　他喜欢设计，看着图纸上的图案，他能想象到建成以后的样子，他很满足。

　　只不过，最近遇到了一点小麻烦。

　　陈升在这个设计团队中负责给排水工程设计，他的设计方案很独特，宽敞的地下空间就如同一个巨大的地下停车场，在排水系统中央是巨大的转门，能疏导流水，而控制转门转动的是地面上的一个巨型风车。

陈升的设计是本着"下水道是一座城市的智慧与良心"这样的信条去做的，他知道西方国家和日本的排水系统多么发达，他希望自己设计的下水道也能像发达国家那样。他的设计很有创意，也是这个新楼盘的特色之一，但同时，造价也很高。所幸老董事长欣赏他的设计方案，并已经付诸施工一个多月。

但是，天有不测风云，人有旦夕祸福。老董事长在一个月前去世了，董事长的儿子接手了公司。而据说新董事长对于陈升设计的给排水方案不是很满意，有可能要否定掉这个方案。

想到自己辛苦数月的努力就要付之东流，而自己成为一流设计师的梦想也有可能因此搁浅，陈升很是烦心。

今天，是公司大会召开的日子，会上要宣布一些重要决策，其中就包括陈升设计的给排水方案会不会被终止。陈升从一摞资料中小心翼翼地抽出了几张，那是他的给排水方案图纸。他又看了一遍图纸，忐忑不安地站起来，离开办公桌，前往会议室。

此时会议室中除了老总的位置，别的席位已经坐满了人，陈升能来参加如此重要的董事会是很罕见的，因为他需要亲自说明给排水项目的前景，这才被破格允许进入会场。他在后排的一个角落坐了下来，心中重复着已经背得烂熟的台词，那是为自己设计方案辩护的台词。

九点整，会议室的大门打开，前呼后拥中，两个人并肩进来，与此同时，会议室中等候多时的众人不约而同地站起身鼓掌，对进门的两个人表示欢迎。

他们就是潘氏地产老董事长的两个儿子，身材瘦高看起来还有几分稚嫩的那个是小儿子潘岩，身材略高显得很健壮的那个是大儿子潘高峰。

他俩身后还各自跟着一个人。潘岩身后是一位身着制服的美女，是他的秘书。潘高峰身后则是一个高大魁梧、外貌彪悍的男子，他是潘高峰的司机也是他的心腹——马站立。潘氏地产了解内情的人知道，马站立是潘高峰的亲信，以至于公司许多管理事务，潘高峰都让马站立代劳。

潘氏兄弟进入会议室后分别坐下，潘岩坐在了居中的主座，潘高峰则坐在了他弟弟左侧的第一个位子。

陈升听说，大儿子是老董长与前妻所生，小儿子则是现任妻子所生。老董事长在临终前将大多数家产以及公司管理权留给了小儿子潘岩，大儿子潘高峰自然不甘心。因此，潘高峰和潘岩虽然是同父异母的兄弟，但同时也是彼此最大的敌人。

这是潘氏地产内部人尽皆知的"秘密"，只不过，陈升对这些并不怎么在意，因为他认为谁做董事长都无所谓，他现在唯一关心的是他的设计能否通过。

会议开始了，潘高峰和潘岩互相看了看，谁都没有先发言。

会议一开始就陷入了尴尬的局面。

最后还是潘岩先客气地说："哥，你先说几句吧。"

潘高峰没有回答，他甚至没有去看弟弟，从怀中取出一包有DNA防伪的"黄鹤楼1916"，又慢慢悠悠地拿出来那只特别定制的都彭打火机，"叮"，清脆悦耳的打火机翻盖声在静静的会场上回荡。

众人都看着潘高峰。潘高峰深吸了一口烟，又轻轻地吐出烟雾，然后用低沉的声音缓缓地说："我先说不合适，毕竟你现在是公司的董事长，还是你来说吧。"

潘岩微微一笑，不再推辞。他不再理会哥哥，站在会议桌的主座处，朗声说道："我不喜欢绕弯子，今天召集大家开这个会，有几件重要的事要宣布。第一，潘氏地产已建和在建的楼盘要尽快完工；第二，公司的人事和组织机构会有重大调整，以适应下一步我们的改革；第三，我们公司将在最近完成转型。对于这几点，我下面详细说明一下……"

潘岩口若悬河地讲了两个多小时，中间几乎没有多少停顿。陈升知道，这位新董事长是英国伦敦大学毕业的高才生，很能说。

潘岩讲话时，在场的人要么听着，要么记录着，要么低头思考着。潘高峰则一支烟接着一支烟，始终面无表情，也没有发表任何意见。

陈升对于公司大的战略规划不感兴趣，潘岩说了这么多陈升却没听进去几句，陈升的心思全都在自己的方案上，他多么希望潘岩能尽快把这些"无关紧要"的事情说完，然后宣布自己的方案过关啊，但是，潘岩自始至终一个字都没有提及他的方案。陈升心中忐忑不安，暗暗嘀咕：难道潘董把这事忘了？又或者还没来得及说？先等等，先等等，我要做好准备。

就在陈升心事重重的时候，忽然，会场上一阵不小的骚动将他从自己的思维中拉回了现实。

怎么了？陈升猛地抬头看，只见参加会议的董事们神情错愕，交头接耳，潘高峰更是反常地表现出自己的心情——陈升看到潘高峰目瞪口呆地望着自己的弟弟，那惊诧的眼神中还有一丝愤怒。

潘董说了什么？难道他宣布要出家当和尚吗？竟然引起这么大的骚动。

陈升立刻提起了精神，仔细听潘岩下面的话。只见潘岩喝了口水，接着说："诸位，我知道我的这个决定有些唐突，但是，我认为我的判断不会错。时代在变化，如果我们不能先知先觉，那么我们就会被社会淘汰。房地产的发展前景不明朗，我们公司是这个领域的大户，船大难调头，及时抽身对我们而言是明智的选择。正是基于这种判断，我才决定，将公司旗下地产全部卖掉，整合资金后，将钱投入新能源领域，我认为那才是未来的趋势。我这么做不单是为我自己，也是为了在座的诸位董事和这个公司的成千上万的员工。"

陈升明白了，原来潘岩前面所说的第三件大事，就是说的公司转型啊。陈升心想：说起来房地产这个行业虽然利润大，但前景越来越不明朗，能够转型固然最好，但是，潘岩能说服董事们吗？

但陈升转念又一想：嗨，这种事情我一个小设计员操哪门子心啊，我还是关心我的给排水项目吧。

给排水……给排水……哎哟，陈升心中"咯噔"一下，他忽然想起刚才潘岩说要将公司的地产全部卖掉，那么自己这个耗资巨大的项目多半会被否定啊，毕竟没有多少人愿意花这么大的价钱投资在看不到的地下设施上，他们宁愿将钱放在外包装和广告上。

想到这里，陈升的手心开始冒汗了：潘董，您别转型了，就算转型也等我的方案施工完成后再转啊。

当陈升的思绪在他的方案上绕个不停的时候，忽然，一个浑厚的男中音响起，陈升知道，那是潘高峰开口说话了："潘董，你的这个思路是你自己想到的，还是别人告诉你的？你说房地产业前景不明朗，你有什么依据吗？你说新能源是未来的趋势，你又有什么依据呢？"

潘高峰今年四十多岁，潘岩只有不到三十岁。潘高峰说话低沉，浑厚的男中音让人一听之下就感觉到一种威严，这一点他和老董事长很像。

潘高峰的话令很多董事都频频点头，他们将目光都投向了潘岩。

潘岩仍很淡定，他答道："当然，这么重大的决策，我是不会拍脑袋做出决定的。我已经花了大价钱请国外著名的咨询公司对我们的前景进行论证，得出的结果是，如果我们继续在房地产业徘徊，那么我们面临的风险会很高，高得我们无法承受。而一旦我们转入新能源领域，依靠我这几年在国外对新能源的认识，我认为我们公司会有更好的前景。"

潘岩顿了顿，又说："当然，或许开头几年的利润会有所下降，但从长远来看，这无疑是一个稳妥的方案。"

陈升听罢潘岩的解释，暗暗点了点头。

董事们都沉默不语，他们或许也觉得潘岩所说的不无道理，但是，谁又愿意主动放弃既得利益呢？房地产从几年前就说快不行了，可直到现在依旧坚挺。

潘高峰嘴角翕动了一下，鄙夷的神情一闪而过，他又点燃了一支烟，说："潘董，依我看你的经验多来自国外，但是这里是中国，国情有别，国外的公司未必了解中国国情，他们的预测未必准确。更何况，你所说的新能源具体是什么项目，你就这么有信心它能比房地产更靠谱吗？说到底还不都是生意，本质都是赌博！"

潘高峰说着，语调开始提高，但是他立刻意识到了什么，马上抽了口烟，语调又降了下来："退一步说，即便房地产快不行了，等听到了风声，再出手卖掉房子也不晚嘛，何必这么着急退出呢？"

董事们叽叽喳喳，议论纷纷，陈升看得明白，多数人都频频点头，赞同潘高峰的观点。

潘岩的脸上有些泛红，他做不到像他哥哥那样喜怒不形于色，显然，他无法驾驭目前的局面。他咬了咬嘴唇，重重地对潘高峰说："哥，你怎么就不明白呢，我这么做是为了公司，为了大家好，你为什么总故步自封呢？高楼大厦只是我们公司的一种商品，我们难道要被这些楼盘永远束缚住吗？你现在这样死守在房地产领域，不就成了房子的奴隶了吗？你怎么就不明白……"

"是你不明白！"潘岩的话只说了一半，就被潘高峰暴怒的吼声打断了。

潘高峰猛地站起来，怒视着自己的弟弟，就像是一头愤怒的狮子。他的怒吼令在场的所有人都惊呆了，包括潘岩。

潘高峰用夹着香烟的两根手指指着潘岩喝道："你不明白，父亲就是靠盖房子起家，我们潘家天生就是做这一行的，你随便一句话就要让这么大一个公司调头，你能做到吗？即便父亲临终前将公司交给了你，但我也绝不能眼睁睁看着你把这个公司、这个家……"

潘高峰怒吼着，声音震得偌大的会议室都在颤动。参加会议的人都怔怔地看着他，不知所措。

陈升也被潘高峰的气势震慑了，他暗暗为潘岩捏了把汗：潘董这回不好办了。

陈升在潘氏地产工作了五年，他知道潘高峰虽然是老董事长前妻所生，不是很受宠，但由于老潘董年事已高，这几年一直是潘高峰在替父亲打理生意。潘氏地产能有今天，潘高峰功不可没，这个公司的基层骨干也多是潘高峰一手提拔起来的。但是，两年前潘岩从国外留学回来，一切都变了，老董事长有意安排接班人，将公司全权交给了潘岩。陈升听说，这是老董事长的现任妻子起了作用。

现在潘高峰当众发飙，不知道潘岩该怎么应对。说来奇怪，不知为何，陈升此刻心中竟然期盼着潘岩能胜利。

潘岩面红耳赤，他的手已经难以抑制地颤抖，他身边的秘书上前扶住他，说："潘董，您累了，要不我们先休息一下吧。"

潘岩却一把推开秘书，他指着哥哥想要说些什么。这时，站在潘高峰身后的那个大个子马站立上前一大步，拦在了潘高峰身前，他比潘岩高出半头，健壮的身材更是大了一圈，他拧眉瞪目地盯着潘岩，那架势似乎是只要潘高峰一声令下，他就会立刻冲上去将潘岩撂倒。

潘高峰大概也意识到自己这样有些失态，他拍了拍马站立的肩膀，示意他退下，然后丢掉香烟头，又抽出一支，点燃了，若无其事地缓缓坐下，用他那特有的男中音说："潘董，这件事我看暂时放一放，不管怎样，我们手里的房子总是要卖的，过两天是香樟园小区楼盘正式开盘的日子，你何不等香樟园的房子卖完以后再讨论公司转型的事呢？这样也有个缓冲期，能让各位董事们好好考虑考虑。你看呢？"

"我看可以，毕竟房子还是要卖的。"一名董事率先支持潘高峰。

他这么一说，大多数董事都表示支持。

潘高峰微微一笑，未等弟弟发表意见，他就将那只抽了两口的香烟按灭在烟灰缸中，然后站起身，说了句："诸位，我还有点事，先走了。"

说罢，他带着马站立头也不回地转身离去。

留下呆呆地愣在那里的潘岩。

潘岩的秘书尴尬地对潘岩说："潘董，您真的累了，今天的会先开到这儿吧。"

潘岩咬着牙，最终，他妥协了，丧气地点了点头。

董事会结束了。

陈升傻了：这就完了？我的设计方案怎么办啊？

<　五　>

吴哲来到了潘氏地产的售楼部所在地。售楼部位于香樟园小区南区的办公楼二楼。在一楼，电梯人满为患，吴哲只得走楼梯步行上二楼，售楼部就在二楼的大厅里。

他刚进门就有一名美貌的售楼小姐凑了过来："先生您好，潘氏地产欢迎您。"

吴哲环顾四周，大厅中央是沙盘，周围是各种房屋模型，大厅里的人不少，都是来看房子的。吴哲暗暗嘀咕：看来房地产业依旧红火啊。

"先生，请问您需要什么样的房子？我们这里别墅、多层、高层应有尽有。"售楼小姐跟在吴哲身后，用甜美的声音介绍着。

吴哲却问道："你们这里有一个叫陈雪的人吗？"

售楼小姐的笑容凝固了："您认识陈雪？"

"我来找她有点事。"

售楼小姐晴朗的面容立刻晴转多云了，她高声呼唤着："陈雪，有人找！"说着，她有意无意地白了吴哲一眼，轻哼一声，转身走了，将吴哲撂在了原地。

不多时，一个身穿售楼小姐制服的女人来到吴哲面前，她嗲声嗲气地笑着问："您好，这位先生，我就是陈雪，您找我吗？"

那女人丰满白皙，脸上铺着厚厚的脂粉，一股浓郁的香味从她身上传来，熏得吴哲皱了皱眉。吴哲答道："嗯，我打算买房子，来看看你们的户型。"

陈雪闻听，双眼笑得眯成了一条缝，她立刻向前凑了一步，请吴哲坐下，然后忙不迭地摊开手中的户型图宣传册："先生，您来我们这儿买房子真是来对了。我告诉您吧，我们香樟园的房子是同价位楼盘中最好的房子，也是附近最好的房子。您看，这户型多精妙，保证您花的每一分钱都能换成需要的空间，不会浪费。您再看……"

陈雪絮絮叨叨没完，吴哲只能不住地点头，根本插不上话。

陈雪的"单口相声"说了足足三分钟，最后才问："先生，您打算要什么样的户型呢？"

吴哲终于可以发表一下自己的想法了："你们的户型我都看过了，是这样，今天来是一个朋友介绍我来这找你，说可以有优惠。"

陈雪依旧保持着微笑："是谁介绍您来的呢？"

"陈升。"

陈雪一听这个名字，脸上的微笑一滞，这细微变化没有逃过吴哲的眼睛。陈雪仍笑着，但语气有些生硬了："哦，原来是他介绍来的，您和他是什么关系啊？"

"我们是同学。"

"那您是做什么的呢？"

"陈小姐，我做什么和买房子有关系吗？"

"没有，没有，我只是随便问问。"

"陈小姐，陈升说你这儿有优惠房源，是真的吗？"

陈雪这时却苦笑一声，嘀咕了一句："这个陈升，真是……"

吴哲感到奇怪："怎么了，陈小姐，有什么问题吗？"

陈雪连忙摆手："没问题，既然是陈升介绍您来的，那就等于是我的姐妹夏莹莹介绍的，我还能说什么，肯定要以优惠价卖给您。"

"咦，你也认识夏莹莹？"吴哲问。

陈雪看了看吴哲，捂着嘴笑道："呵呵，这句话该我问您吧，您也认识夏莹莹吗？"

吴哲也笑了："哈哈，是啊，我和陈升、夏莹莹过去是同学，我们当然认识。"

"哈哈，"陈雪一听立刻来了精神，"我一猜就是。实话给您说吧，我和莹莹是闺蜜，就算优惠，我也是看在莹莹的面子上才会给你优惠房的。至于陈升，嘿嘿，不是我说他，他可不值得我同情。"

"同情？"吴哲觉得这个词用在此时此地似乎别有意味。

"可不是同情吗？老大不小的人了，到现在也没个房子，莹莹跟着他天天住出租屋，居无定所的。"陈雪语速很快，就像是爱传闲话的中年妇女一样打开了话匣子，"他自己买不起房子，倒是挺热心地让你来我这了。我本打算留给他们一套优惠房，现在看再过一段时间就卖完了。我看啊，莹莹今年又住不上新房子喽，唉，可怜的莹莹，人长得这么漂亮，却……"

吴哲看陈雪絮叨，心中不悦，便打断了她的话："陈小姐，麻烦您给我介绍一下你们的优惠情况吧。"

陈雪这才停下那张永动机一样的嘴唇，她一溜烟地跑到前台取来一个本子，然后将本子和笔放在吴哲面前。吴哲看到，本子上写着"访客登记簿"几个字。

陈雪解释道："先生，您先登记一下您的到访信息吧，我们公司管理十分严格，每天到访的客人都需要登记，如果有漏掉的我们可吃不了兜着走。"

吴哲翻开登记簿，是制作很精良的表格，上面要求填写来访人的姓名、年龄、工作、联系方式、购房目标。另外，这个表格甚至精确到了小时，每天从早上九点到下午五点都详细地单列成格，不同时间段的访客情况一目了然。

吴哲不解地问："我现在又没有确定买你们的房子，有必要做这么详细的登记吗？"

陈雪撇了撇嘴，说："谁知道呢，这是新老板的新要求，他说要确切掌握房地产市场的走向，就要有完备的数据。结果这个活就落到我们销售人员身上了，要是漏记一个，一旦被发现，我这个月奖金就完蛋了。"

吴哲笑道："这么多人，你们老板总不能一个个去数，漏记了他也不知道吧。"

"嗨，不瞒您说，我们这儿的制度那叫一个严格，万一被同事举报或者被检查人员发现我们漏记了访客，那就要被扣奖金。你说，这么严格的制度，我们敢偷懒吗？"

吴哲感慨道："好家伙，一个商业公司竟然这么严。"

吴哲知道这个表是非填不可了，他拿起笔，看了看手表，时间是十点三十分，于是在十点到十一点的表格中写下了自己的名字。

陈雪这时说："行啦，其实您写个名字就OK了，剩下的我可以帮您填，毕竟我们不能要求每个访客都必须如实填写。"

吴哲抬头看了看陈雪："你不怕你们公司的制度啦？"

"嗨，再严格的制度它也是死的，人是活的。走吧吴先生，我们谈谈优惠房的具体内容吧。"

半个小时后，吴哲用九四折买下了一套四十平方米的小户型。

< 六 >

董事会结束后一个小时，陈升接到了董事长秘书的通知：去董事长办公室谈给排水工程。

在这个房地产业帝国里，像陈升这种地位的设计员能有机会直接和董事长交谈，无异于草民面见皇帝。陈升既兴奋又担心，兴奋的是自己终于有机会向董事长展示自己的设计理念，担心的是一旦董事长否定自己的设计，那么这么长时间的心血就付诸东流了。

当陈升怀着忐忑的心情拿着他的设计图进入潘岩的办公室后，他发现潘岩显得有些疲惫，大概是方才的会议让他不舒服吧。

潘岩没有他哥哥潘高峰的威严，这个人比较随和，他很客气地让陈升坐在了自己办公桌的对面，然后颇有礼貌地说："陈设计师，今天叫你来是想和你谈谈你的新楼盘给排水工程。"

陈升有些战战兢兢，虽然面前这个年轻人比自己还小两岁，但是对方出身尊贵又是自己的老板，他不得不毕恭毕敬，他所有的才华和雄心在出身面前都显得如此微不足道。

陈升回答说："我知道，首先我很感谢董事长能给我当面向您汇报的机会，其次我想我的设计兼顾了实用性和商业性，我相信我的设计会让公司满意，让业主满意的。"

陈升将事先背了无数遍的台词机械地复述了一遍，他很满意自己复述得比较流畅完整，这样估计就能给董事长留下一个好印象吧。

说完，陈升忙不迭地打开那张已经被他摩挲无数遍的设计图，开始了他雄辩的滔滔演讲："董事长您好，我设计的给排水方案是经过老董事长和专家团队验证肯定的设计，它取材于国外先进的设计理念，符合当今城市化进程……"

陈升一开始颇具专业性的演说并没有提起潘岩的兴趣，潘岩漫不经心地听着，时不时地摆弄着电脑和手机。这一切陈升都看到了，他心里有些着急，他明白，他今天若不能说服面前的这位董事长，那么他就失败了。

情急之下，一股冲劲从陈升胸中升起，他索性抛开早就背得滚瓜烂熟的演说词，自由发挥起来，他将设计图一甩，忽然提高了声调，说："发达国家的地下排水系统十分健全，董事长在英国伦敦留学，当知道伦敦那世界闻名的排水工程吧，高达六十米的巨型排水工程，号称是一个地下城市。尤其令人敬佩的是，这样的工程兴建于一百多年前，可见伦敦这座国际大都市的规划者和施工者早就考虑到了这座城市的'良心'。"

陈升用伦敦为例，引经据典的言辞倒是颇出乎潘岩的意料，他饶有兴致地抬起头看着陈升，撇开了电脑和手机，开始聚精会神听这位设计员的演讲。

"其实无论是英国还是美国，抑或是日本、德国，发达国家的大城市无不拥有先进庞大的地下排水系统，这是大都市得以存在的条件之一，这是对居住在这座城市的人负责的态度，当然，这也是忍者神龟赖以生存的场所。

"其实，在我国，从先秦的郑国渠等水利工程，到近代的南水北调工程，无不是对水资源的调配。但是，这仅仅是大型水利工程。在建筑排水方面，我们是落后的，即便有故宫排水系统那种奇思妙想，也无法掩盖我们的排水问题。正是基于这些考虑，我才有了这种排水工程的设计……"

陈升用他渊博的历史知识、精妙的设计理念，令这位身份高高在上，留学归来的董事长频频点头，甚至笑了起来。

当陈升用了足足半个小时讲完他"伟大"的设计后，他看着一脸赞许的潘岩，心中信心倍增：看来我临阵发挥的效果不错，董事长应该会同意我的方案吧。

潘岩从座位上站了起来，绕到办公桌前，仔细打量了一番陈升，啧啧赞道："想不到，想不到，在我们公司里面还有你这样的人才。"

陈升受宠若惊，也站了起来。

潘岩却示意他坐下，又说："其实在你来之前我就已经看过了你的方案。老实说，虽然我不是专业人员，但我也能看得出来，你的设计很了不起，是一个精妙的工程。"

陈升的信心再次提升：有门。

然而，潘岩下面的话却让陈升彻底失望了："可是，陈升你知道吗？我们公司要转型了，在现在的形势下，我们不太可能在地产业上做更多的投资，你的设计虽然很出色，但是……该怎么说呢？或许是有些不合时宜吧，我们恐怕无法将它变为现实了，我这么说，你能明白吗？"

陈升愣了，潘岩的话再明白不过了：自己的方案将要被枪毙。

陈升愣在那，半晌无语。

或许是不愿陈升如此失望，潘岩补充道："不过今天的见面令我印象深刻，我确信你是一个不可多得的人才，下一步公司转型肯定要裁员，但是，我会留下你的，怎么样？这回你可以放心了吧？"

陈升面对潘岩的"大恩大德"丝毫没有感激之情，他目光呆滞，不知如何开口。他怔了良久，才回过神来，他不愿自己的希望破灭，不愿自己的心血付诸东流。他几乎是用质问的口吻对潘岩说："潘董，我不明白，雍正真的可以擅自改动康熙的遗诏吗？"

陈升的话让潘岩感到莫名其妙："什么康熙、雍正？"

潘岩甚至认为自己的这名员工脑子有问题了。

陈升说："我的设计方案是老董事长批准的，也是经过董事会同意的，为什么您要否定它呢？"

潘岩听陈升说起自己的父亲，这才终于明白了他所谓"雍正改康熙遗诏"的意思，陈升是说自己没有遵照父亲的意思办事。

潘岩笑了笑，没有动怒，他说："陈升，我父亲是靠房地产起家的，他对建筑情有独钟，这无可厚非，但是我不同，我接管潘氏，要从长远考虑。刚才在董事会我也说得很清楚了，我们要转型，房子不再是紧俏货，我们不可能再在房子上投入更多资金，所以你的设计方案……真的是生不逢时啊。"

当潘岩说到一半时，陈升就有一种打断他的念头，"房子不再是紧俏货"，这对一个极度渴望拥有一套房子，视房子如生命的人而言算不算一种侮辱？但是，陈升最终没有勇气说出自己的想法，他只有唯唯诺诺地退出了办公室。

他知道，完了，自己的设计方案彻底没有希望了，与之相伴的加薪和奖金自然也没有希望了，所以，房子，也没有希望了。

当陈升如行尸走肉一般从潘岩办公室走出来后，他恍惚间觉得四周的墙壁开始扭曲变形，天花板上明亮的灯光格外刺眼，嘈杂的办公声音令他干呕。

他不知道是怎么走回自己办公桌前的。

他颓然坐下，怔怔地看着满桌子的材料，他觉得自己的心血成了废物，自己本身的存在也失去了意义。

陈升面前的计算机屏幕上，桌面背景是飞翔在蔚蓝天空中的鸟。陈升想：或许做一只自由的小鸟也比做人快乐吧？

<　七　>

陈升的手机响了。他无精打采地接通了电话："喂，我是陈升。"

"我是吴哲，中午一起吃个饭吧。"

"呃……"

没等陈升表态，电话那头就接着说道："就这么定了，中午我请客，就在你们公司旁边的那个叫'榕树下'的餐厅吧，对了，叫上夏莹莹一起来。"

陈升只得答应:"那……那好吧。"

陈升强撑着坐起来,拨通了夏莹莹的电话:"莹莹,中午我不去给你送饭了,你现在去榕树下餐厅吧,就是咱们单位旁边的那个,我马上到,我们中午在那吃饭。"

夏莹莹在电话里咯咯地笑了起来:"哈哈,是不是你的方案通过了,想要庆祝一下?"

陈升心头一疼,尴尬地回答:"不是,是这样,我早晨碰到高中同学吴哲,他要请我们俩吃饭。"

"吴哲?我记得他。他请我们吃饭?好吧,我这就去。"

当陈升来到榕树下餐厅后,他看到吴哲和夏莹莹已经坐在一张桌子前,正谈得热火。

陈升凑近了,问:"你俩聊什么呢?这么起劲。"

两人这才发觉陈升的到来,吴哲忙说:"哎呦老同学,来啦,快坐。我和夏同学正在聊咱们上学时候的事呢。"

"你去找陈雪了吗?"

"去了。"

"怎么说?"

"她给了我一个九四折的小户型,我付了定金。"

"那就好。"

陈升坐在了夏莹莹身边，他柔声问："今天工作忙吗？"

夏莹莹微笑答道："还是老样子，你呢？别太辛苦。"说着，她将手搭在了陈升的手上。

"我没事，好得很。"

吴哲看着陈升和夏莹莹亲昵的样子，有些尴尬，他干咳一声，说："喂喂喂，你俩当着我的面就别这么黏糊了。"

夏莹莹急忙将手抽回来。

吴哲感慨道："唉，十几年没见，你俩还是老样子，上学时候你俩就是有名的'糨糊'，天天黏在一起，现在还是这样，佩服佩服。"说着，他做抱拳状。

陈升则笑道："我俩这叫天造地设，命中注定要在一起，想分也分不开。"

吴哲一撇嘴，指着陈升说："哎呦哎呦，说你咳嗽你还喘上了，别臭美了。"

然后，吴哲又说："不过话说回来，当初这么多人追夏同学，偏偏就你小子得手了，说说，你到底用了什么法术？"

陈升略显自豪："不服？当初你小子不也对莹莹有意思，最后还不是竹篮打水一场空。怎么，忌妒哥们儿我了？你就羡慕忌妒恨去吧！"

夏莹莹这时狠狠拍了陈升一下，说："美得你，当初我还不是看你可怜，没人要，这才收留了你。"

"啊？"陈升一咧嘴。

吴哲大笑："哈哈哈哈，夏同学揭你老底了吧？让你小子嘚瑟。当初还不知道你是怎么跪在夏同学面前苦求呢。"

"去去去去。"陈升笑着摆手。

夏莹莹也抿嘴笑了起来。

三个久别重逢的老同学，如同回到了无忧无虑的青春年华。

陈升多么希望时间静止，永远停留在此刻，能和自己的挚爱和自己的朋友欢乐相聚。

然而，夏莹莹一句话又把他拉回到了残酷的现实中："对了，上午不是开董事会了吗？你的设计方案怎么样了？"

陈升脸上的笑容凝固了，一颗火热的心瞬间被冰冻。他神情尴尬，不知该如何回答。

看到陈升这副表情，夏莹莹当然明白了结局，她也失去了笑容，低头将嘴唇靠在杯子上，默不作声。

吴哲发现两人反常，便问："怎么了？刚才还好好的，怎么这会儿全蔫了？"

正说着，服务员将饭菜端了上来。这家饭店的厨艺不错，色香味俱全。吴哲吃得津津有味，但是，陈升和夏莹莹却吃得心不在焉，两人再也没有先前那么活跃了。

吴哲看他俩忧郁寡言，实在忍不住，便放下筷子，问："我说你俩到底怎么了？刚才还活蹦乱跳的，现在却一副死人样了？咱们老同学好不容易见一次面，总不能就这么干吃不说话吧。"

陈升不好意思地说："老同学，不瞒你说，我的一个设计刚刚被董事会否定，所以我的心情有点不太好。"

"我当什么事呢，这次被否定还有下次嘛，以你的才华总会冒出来的。"

"可是，"陈升看了看夏莹莹，然后继续说，"可是如果我这次的设计不能通过，那么我的薪水就不能涨，也就是说我和莹莹买房子的事情又要……又要推迟了。"

说到最后，陈升的声音低得就像蚊子哼哼。

吴哲听说是买房子的事，他摇了摇头："不瞒你们说，虽然我老爸给我付了首付，但是房贷压力太大，我现在也在为这事犯愁。"

陈升苦笑道："你就知足吧，要是能有人替我付首付，我就谢天谢地了。"

吴哲无话可说了。

陈升一声叹息："唉，本指望这次我的给排水设计方案能通过，肯定有一笔奖金，可结果还是泡汤了。"

吴哲对陈升所说的设计方案产生了兴趣："老同学，一直听你提起你的设计，能给我具体介绍一下吗？"

一听吴哲问起自己的设计，陈升立刻来了神，他拽了拽自己的衣服角，声调也提高了一度："嘿嘿，不是我自吹，我的设计方案如果能够通过，那绝对是一个具有里程碑意义的工程。"

夏莹莹在一旁轻轻哼了一声。

陈升没有理会她，继续对吴哲说："在咱们中国，地下排水系统一直是一个短板，我们的排水系统已经满足不了城市规模的极速扩张。在西方发达国家……"

陈升滔滔不绝地说着，神采奕奕，他似乎忘记了周遭的一切，完全陷入了对自己设计的想象当中。他又喝了一口水，将身子微微前倾，故作神秘地问吴哲；"老同学，我的设计还有一个小秘密，你想知道吗？"

吴哲很配合地将身子前倾，认真地问："什么秘密？"

陈升神秘而自豪地说："我的设计是一个立体工程，我在排水系统的两部分中间设计了好几个转门，可以随时调节排水量。我的底层设计绝对坚固，而且，我会为我的排水系统引进先进的数控设备，再加上我的独特构思，绝对是一个不同凡响的工程。怎么样？我的设计前卫吧！"

吴哲听着，摸了摸下巴，说："听你这么一说你的设计确实挺有意义，可是，现在的开发商都只注重现实效益，你这种设计似乎过于复杂，又不像地面建筑那样容易看到，恐怕不会有人愿意投资吧？"

夏莹莹插话道："我早就说过他，他不听，人家多大的设计师都不敢搞的东西他却偏要搞，结果这下好了，设计方案被枪毙了，奖金泡汤了，房子也没着落了。"

陈升却不以为然："你们不懂，我的设计方案是照顾了开发商的收益的。"

吴哲问："这么说你的设计其实是综合了各种因素？"

"当然，"陈升说着，抽出一支烟正要点，却看到饭店挂着"NO SMOKING"的牌子，便又放下香烟，"今天早晨你看到那个大风车了吧？"

吴哲头脑中立刻浮现出那个醒目的硕大的白色风车。他点了点头："看到了，怎么？"

"那个风车与给排水转门相连，它们是同轴转动的，也就是说，水量小的时候风车带动转门，水量大的时候转门带动风车，这样既节省能源，又有经济效益。"

"等等，"吴哲打断了陈升，问，"你说节省能源我能理解，可这里面又怎么会有经济效益呢？"

"怎么没有？风车上可以做广告嘛，那么显眼的风车，毗邻主干道，可是广告的黄金位置。"

"哦！"吴哲恍然大悟，"你这是一个好想法啊。"

吴哲忽然对陈升有种肃然起敬的感觉："你小子，看不出来你的设计这么有深意，说真的，我挺期待看到它变为现实呢。"

陈升却又神情黯然了，叹道："唉，可惜，原本潘氏地产的老董事长同意了我的方案，可只施工一半他就去世了，新董事长上任，否定了我的方案，你这辈子恐怕也见不到它完成的一天了。"

"可是你的风车还在那儿啊。"

陈升苦笑："风车在，广告照做，我的给排水工程却不让做了。"

"那地下已经施工的部分怎么办？总不能再塞土填起来吧？"

"他们打算在原来施工的基础上弄个地下停车场。"

吴哲愕然："这么说你的设计成了他们赚钱的工具，可属于你的功劳却被剥夺得一干二净啊。"

陈升沉默。片刻之后，他又释然地抬头说："嗨，其实也不能这么说，毕竟我的方案没有通过，我也不算有什么功劳嘛。董事会枪毙我的方案是出于成本考虑，我也无话可说。"

夏莹莹又哼了一声："哼，你倒看得开。"

陈升看了看夏莹莹，眼神中尽是歉意。

吴哲感慨道："有时候想想，在这里为了一套房子把家里几代人的积蓄都用上，值得吗？"

夏莹莹这次不再腼腆了，她立刻反驳吴哲道："没有房子难道要睡大街上啊？"

"不买房子不意味着睡大街啊，可以租房子嘛，而且如果在C市买不起房子可以去二线城市或者回老家发展啊。"

夏莹莹略带轻蔑地一笑，问："哎，吴哲，那你怎么不离开C市回老家去啊？"

"你还别说，我真有过这个打算呢。"吴哲认真地回答。

"哼。"夏莹莹显然对于他的答案不以为然。

"回家去又能怎么样？"陈升插话道，"我学的是设计，回去以后肯定干不了这个专业，我在老家一没关系二没钱，又能做什么呢？在C市虽然辛苦，但好歹机会多，如果回老家，那才是永无出头之日了。"

"那就租房子嘛。"

陈升摇了摇头："吴哲，你还没有结婚吧？"

"没有，我连谈恋爱的时间都没有，上哪去结婚呢？"

"这就是了，你不结婚不知道，一旦成家就必须要有属于自己的房子，或许在国外你可以一辈子租房子，但这儿是中国，中国人一辈子奋斗不就是为了房子吗？"陈升说着，有意无意地看了看夏莹莹。

吴哲皱了皱眉："人这辈子就只是为了房子吗？"

"对于大多数人来说，是的。"

吴哲想要反驳陈升，但他竟然想不到用什么来反驳。人生如果只为了房子那该是多么悲惨的事情？但很遗憾，现实难道不是这样吗？多数人奋斗不为房子还能为什么呢？陈升一时竟然找不到答案。

陈升继续说："中国是个大陆国家，中国人祖祖辈辈被禁锢在土地上，中国人对土地和房子的依恋超过世界上许多国家，没办法。"

吴哲哑然失笑："哈，想不到你都把买房子上升到这么高的层面了。"

陈升还想说些什么，却被夏莹莹打断了，她低声埋怨道："成天大道理一套一套的，管什么用啊？你倒是看得开，可咱们到现在连个窝都没有。有这个工夫你还不如想想有什么赚钱的门路呢。"

这一回吴哲看不下去了，他对夏莹莹说："夏同学，你这么说就不对了，大道理对人生是有指导作用的，怎么能说没用呢？更何况，陈升不是也一直都在努力嘛，你就别再苛求他了。"

夏莹莹放下筷子，打开手机摆弄着，不再言语。陈升、吴哲也都不说话。三个人陷入了尴尬的局面。

良久，夏莹莹低声说了一句："努力？唉，我算是明白了，这世道光靠努力是没用的。"说罢，她拎起包，对吴哲说，"对不起吴哲，我下午还要上班，我先走了。"

她不理会陈升，径自离去。

吴哲看陈升一直低着头，便歉疚地说："陈升，我本来想大家一起叙叙旧，没想到……"

陈升抬起头摆了摆手："不，这事不怪你。"然后他微微一笑，接着说，"今天让你破费了，我下午也要上班，就先到这儿吧，改天我请客，咱们再聊。"

说罢，他穿上外套，正要离开，忽然想起了什么，又对吴哲说："过两天就是香樟园楼盘开盘的日子，你要没事就来玩吧，反正你也是小区的业主了。"

吴哲点头:"好,有时间我一定到。"

陈升走后,吴哲看着一桌子饭菜,却无心下咽,他自己也不知道哪里不对劲了,总之感觉心里特别压抑,很不舒服。

< 八 >

这天下班后,夏莹莹没有等陈升来接,而是直接回出租屋了。

陈升买了她最爱吃的红烧羊排,并向她百般献殷勤。

"会好起来的,亲爱的,会好起来,相信我。"陈升紧紧搂住夏莹莹。

夏莹莹挣扎了一下,淡淡说道:"我没有怪你,我知道你一直都很努力,我没事,我只是有点累了。"

陈升仍搂着她。

夏莹莹又说:"放开我,让我休息休息,好吗?"

陈升不情愿地松开了胳膊。

夏莹莹一头扎在床上,也不脱衣服,用被子蒙住头就睡了。

陈升看着一桌子饭菜纹丝未动，他坐在床边，靠在床头上，呆呆地出神。

……

翌日。

陈升和夏莹莹照旧一起去公司上班，只是两人路上都没有怎么说话。

直到中午。

十二点十分。

陈升再次以出人意料的速度出现在夏莹莹所在的公司医务室。之所以说出人意料，是因为陈升下班的时间为十二点整，而从陈升所在的北区赶到夏莹莹所在的南区开车也要十分钟。

陈升手中拎着饭盒，里面盛满了夏莹莹喜欢吃的饭菜，热气腾腾。陈升将它们放到夏莹莹面前，说道："吃吧，趁热。"

陈雪也在医务室，她所在的售楼部和夏莹莹所在的医务室都在香樟园小区的南区。陈雪和夏莹莹是闺蜜，她几乎每天午饭时间都要到医务室来找夏莹莹。陈雪看着陈升送来的饭菜，在一旁羡慕忌妒恨："哎呦，许仙又给白娘子送饭了，不过我不明白，你为什么每次都来这么早？难道你总是提前离岗？"

陈升回答陈雪："我可没有提前离岗，我不过是动作快点罢了。"

"那也忒快了吧，你瞧，"陈雪说着，朝身边另一个在医务室工作的女人努努嘴，略带挑衅地说："有的人老公明明是给领导开车的，可结果每次都没有人家没车的人动作快，你说得多丢人啊？"

陈升知道，陈雪针对的那个女人叫李静，她是马站立的老婆。马站立跟着潘高峰在北区上班，他每天也要给李静送饭，不过每次他都没有陈升来得快。而陈雪与李静是死对头，一有机会双方就掐架。今天陈雪摆明了是在用这事刺激李静。

李静打扮得花枝招展，眼神犀利，一看就不是善类。她听陈雪说话明显针对自己，立刻蹦了起来，尖叫道："陈雪，你丫还是管好自己的贱嘴吧，成天穿得骚狐狸似的也没见勾到几个'送饭工'，叫唤什么呢？"

陈雪瞪大了眼，冲上去就要干架。

陈升和夏莹莹一看势头不对，立刻上前将两人隔开，陈升挡住陈雪，夏莹莹抱住李静，劝道："都少说两句吧，大家都在一个公司，何必一见面就吵呢？"

两个女人兀自叽叽喳喳地争吵着，陈升和夏莹莹则一直拼命劝架。

李静就像是一只见到对手的斗鸡，伸着脖子，踮着脚尖，一阵怒骂。她看夏莹莹紧紧抱住自己，无名大火立刻蹿了上来，她转向夏莹莹尖叫起来："姓夏的，你放开我！"

夏莹莹没想到李静会突然针对自己，愣住了。陈升和陈雪也停了下来，看着李静。

李静指着夏莹莹，冷笑着嘲讽道："姓夏的，你别得意，你神气个屁呀，你男朋友就是个穷光蛋，到现在连个房子都买不起，还在我面前装，你再装小心老娘抽你！"

夏莹莹愣了片刻，眼眶一下子红了，她死死咬着嘴唇，身体剧烈地颤抖着。

李静见夏莹莹说不出话来，抱着肩膀乘胜追击："你男人不就会早点送饭吗？老娘不稀罕，我现在就点餐吃去，气死你们这群穷鬼。"

陈升听着，不禁面红耳赤，又不知道怎么安慰夏莹莹，站在那里不知所措。陈雪早已怒不可遏，冲上去就要和李静拼命。

就在此时，忽然有人怒吼一声："李静，你个臭娘儿们又在这给我惹事是不是？"

众人回头望去，说话的人正是马站立，他高大魁梧的身材几乎将房门都遮住了。他手中拎着快餐袋，里面是汉堡包和热奶茶。墙上钟表指向十二点二十分，他比陈升足足慢了十分钟。

李静看到马站立，立刻咆哮起来："马站立你个废物，来得还没有不开车的快，你是推着你那破车过来的吗，你有这么一身傻力气怎么不去卖啊？"

陈升等人对李静的口无遮拦彻底无语了，都看着马站立。

马站立曾是散打冠军，一脸严肃，黝黑的脸膛多半都酷酷地面无表情。可今天李静当众这样羞辱他，他的脸上也现出了尴尬，五官几乎扭曲了。

他怒气冲冲，大步流星跨到李静面前，不由分说一把拽住李静的头发，朝门外拖着走出去。他恶狠狠地说："臭娘儿们，天天给我惹事，今天我不教训你个臭娘儿们我就是你儿子。"

李静疼得龇牙咧嘴，杀猪一样地号叫："马站立，你个畜生，放开老娘……"

俩人厮打怒骂的声音渐渐远去。

陈雪长出一口气，说道："没想到马司机这么凶猛，嘿嘿，这回李静那个贱货要倒霉喽！"

陈升默不作声，他凝视着夏莹莹。

夏莹莹背对着她，肩膀颤动，显然是在抽泣。

陈升心中一酸，走上前轻轻搂住夏莹莹，想说些什么。

夏莹莹却慢慢转过来，擦了擦脸上的泪水，微笑着对陈升说："你不用安慰我，我没事。"

陈升欲言又止，他看到夏莹莹雪白的脸庞上有两道泪痕，不禁觉得心疼。

夏莹莹说："你还没吃饭呢，去吃吧，中午休息一会儿，下午还要工作呢。"

陈升只得离开，他临走前在夏莹莹耳畔说："莹莹，我发誓，我一定会让你住上新房子。"

夏莹莹面无表情。

陈雪在一旁暗暗叹息。

陈升走出医务室，他走到香樟园小区南区的大门外。C市宽阔的街道上川流不息，嘈杂的声音轰轰响，耀眼的阳光刺得他睁不开眼。陈升一阵眩晕，险些摔倒。

< 九 >

12月25日上午十时，楼盘开盘仪式开始。

香樟园小区正门外是一个高大的台子，台子上张灯结彩，巨大的圆形拱门极尽奢华。尚未完工的新楼盘都挂上了红绸，远远望去，如同一道道红色的瀑布从高楼飞流而下。就连那个大风车也被装点一新，贴上了巨大的字"潘氏地产（招租）"。

"圣诞节"加"楼盘开盘日"，这样的日子似乎很值得纪念。

二十一响礼炮震耳欲聋，礼炮之后是长时间的鞭炮烟花。

在隆重的仪式上，潘氏地产请来了很多达官贵人，潘岩作为公司董事长亲手剪断了彩绸，而潘高峰和其他公司高管也都到场了。

陈升、夏莹莹和陈雪作为公司员工，都身着制服列队站立在领导身边，吴哲则作为观众观看了这场仪式。

仪式结束后，是明星表演。舞台上，穿着暴露的女星扭腰摆臀，吼叫着她自己也不太懂的英文歌词，金钱让她不畏严寒。

与此同时，各项酬宾活动开始。公司内部人员自由活动，三三两两地聚在一起，领导找领导，员工找员工，在社交场上，每个人都像是一块磁铁，一旦遇到对自己有用的那块，立刻就会被吸引过去，反之亦然，你自己也时刻在吸引着别人，能聚在一起的人总是有物质诉求或精神诉求。

吴哲、陈升、夏莹莹因为同学身份聚在了一起。

吴哲感叹道："你们公司的开盘仪式够隆重的啊。"

陈升答道："本来按照我们潘董的意思，搞得简单一点。但我们潘主任不同意，这个开盘仪式是他策划的，他这个人办事总是这么大开大合。"

"你们潘董就是那个穿范思哲西服、年纪不大的瘦高个吧？"

"吴哲，想不到你对时尚的东西蛮有研究，一眼就认出来那是范思哲西服？"

"谁说警察就不能关注时尚了，有时候这或许是破案需要的知识啊。"

"你们做警察的还真是无所不知啊。你说得没错，那个'范思哲'就是老董事长的次子，你别看他年纪轻轻，人家可是英国伦敦大学毕业的高才生啊，现在又是潘氏地产的董事长。啧啧，命好没办法啊。"

"你刚才说的潘主任又是谁啊？"

陈升朝远处的潘高峰努努嘴："喏，那个身穿黑色阿玛尼西服的人就是他。他是我们老董事长的长子，过去是我们公司的人事部主任，现在兼任公司副总裁，但我们还是叫他潘主任。"

"哦？老董事长没有把公司交给长子，却交给了小儿子？"

"因为小儿子的母亲是现任老婆。"陈升回答得言简意赅。

"呵呵，了解了。"

"我们这个潘主任是个工作狂，现在都四十了，还没有结婚，也没有孩子。"

夏莹莹插话道："人家潘主任那叫干事业。"

陈升不以为然："干事业也要有家啊，没有家干事业有什么劲？"

吴哲笑道："这么说我要赶紧找个女人结婚啊。"

"我没说你，老同学。"

"嘿嘿，我知道。"

三个人正说着话，却看到潘高峰朝着他们这边走了过来。

陈升急忙低声对吴哲说："嘘，低声些，潘主任过来了。"

说着，潘高峰走到了三个人身边，陈升点头哈腰地打招呼："潘主任，您好。"

"嗯。"潘高峰心不在焉地应了一声。

夏莹莹也打招呼，声音很低："潘主任，您好。"

"嗯。"潘高峰又习惯性地应了一声，可是，当瞄到夏莹莹容貌的时候，他愣了一下，然后驻足不前，停在了夏莹莹身边。

夏莹莹一愣，脸一红，低下了头。

潘高峰问："你是我们公司的员工？"

夏莹莹的头低得更厉害了，她的语调再次降低："是。"

"你在哪个部门，叫什么名字？"

"报告潘主任，我在公司医务室，我叫……"

没等夏莹莹说出名字，远处一个响亮的声音传来："老潘，快过来，咱们好好聊聊。"

是一个光头老板在招呼潘高峰，潘高峰和他挥了一下手，又看了一眼夏莹莹，这才离去。

陈升看着潘高峰的背影走远，对吴哲说："你别看潘主任平时沉默寡言，但实际上他工作能力很强，我们公司能有今天，多半是靠他啊。"

吴哲却冷冷地答道："陈升，你们这个潘主任不像善类，你要谨慎啊。"

"啊？"陈升一愣，随即笑道，"不会不会，潘主任其实人不错。"

"咦？"吴哲忽然惊讶地凝视远处。

陈升顺着他的目光望去，他看到了马站立。

陈升问吴哲："怎么了？你看到什么了？"

吴哲看着马站立，皱了皱眉，似乎是看到了一个麻烦。陈升看得清清楚楚，他又问吴哲："到底怎么了？"

吴哲冷冷地问："老同学，我在你们公司看到了坐过监狱的人。"

"啊？坐监狱？谁坐监狱？"

"刚才那个男子是不是叫马站立？"

"是啊，怎么，你认识他？"

"哼，当然认识，他五年前因故意伤人罪被捕入狱。我见过他，他前年刚出狱，没想到却穿上了你们公司的制服。"

陈升愕然了："啊？你说马司机坐过牢？"

"他是司机？给谁开车？"吴哲不答反问。

"他是我们潘主任的司机。"

吴哲点了点头，他再次将目光投向了潘高峰。陈升看到这位老同学的眼神骤然变得如一道闪电，令人心中一凛。

< 十 >

12月26日，早晨。

陈升和夏莹莹照旧乘坐五号线上班。

地铁车厢中人满为患，就像是一个铁皮面包中夹了几百根香肠，车厢晃动，"香肠"们也随着晃动。

一个妇女抱着一个只有几个月大的孩子站在里面，没人给她让座，也没人照顾她，因为每个人都自顾不暇。太拥挤了，孩子大概是闷得难受，便哇哇大哭起来。一个穿西服打领带、戴着金丝边眼镜的男子正坐在座位上闭目养神，听到孩子的哭闹声，他怒目看去，只见那妇女一身脏兮兮的廉价衣服，一看就是穷困的人，她面露怯色，不敢抬头，只是不停地哄着自己怀中的孩子。

金丝边眼镜男大声嚷道："坐地铁抱什么孩子嘛，烦不烦？"

妇女怯生生地看了一眼周围，周围有男有女，有老有少，他们要么戴着耳机，装作没听见没看见，要么瞪那妇女。那妇女更惶恐了，急得几乎要哭出来，她唯一能做的就是在冷漠的人群中不停地哄自己的孩子。

孩子却哭得更厉害。

金丝边眼镜男怒了："烦不烦，烦不烦啊？"

夏莹莹低声叹道："真可怜。"

陈升看着这一幕，他挤开人群，走到那妇女身边，说："大姐，你坐我这儿吧。"

说着，他替那妇女挤开一条路，让那女人坐在夏莹莹身边。夏莹莹看那孩子，是个胖乎乎的小男孩，便笑着逗他："真可爱。"

小孩子大概也被夏莹莹的美貌触动了，竟然不哭了。

妇女感激地说："大兄弟，谢谢你啦。"

"不客气。"

金丝边眼镜男本想挖苦几句，陈升则狠狠地瞪了他一眼。看着陈升高大健硕的身材，他咽了口唾沫，没敢吱声。

夏莹莹将陈升拉到自己身边，在他耳畔轻轻吹了吹，说："老公，你真帅！"

"嘿嘿！"陈升得意地笑了。

夏莹莹又说："唉，我可不希望我们的孩子将来受这样的罪。"

陈升一听，又感到压力倍增。孩子？！他从没有想过，确切地说，他曾想到过，但他不敢往下想。

上午十点十分，陈升正在办公桌前忙着绘制设计图，手机响了。他一看，是房东的电话。陈升接通了："喂，我是陈升。"

电话那头传来了房东冰冷的声音。

三分钟后，陈升挂断电话，满脸愁容。

中午十二点十分，陈升准时出现在夏莹莹的医务室。陈雪在，李静不在。

陈雪问陈升："哈哈，超人再次准时出现，陈升，你是不是会鸣人的影分身^①，嗖地一下变出两个你，一个藏在北区，一个藏在南区？"

陈升笑了笑，未置可否。

陈雪用她极快的语速继续说道："我听说你今天早晨在地铁里威风了一次。看不出来啊，你这个设计员还有男人血性的一面呢。"

一定是夏莹莹告诉陈雪的，陈升看看夏莹莹，她笑得很灿烂，陈升也笑了。

夏莹莹打开饭盒，饭菜的香气扑鼻而来，她边夹菜边对陈雪说："他在大学可是搏击冠军，还是学校篮球队的主力呢。"

"哎呦，"陈雪用"不怀好意"的神情凑到夏莹莹身边，低声说道，"我说你怎么喜欢这个穷小子，原来是因为'性'福无限啊。嘻嘻，告诉我一点细节呗。"

夏莹莹一开始没有听懂，她看陈雪异样的神情，愣了片刻，随即醒悟，举起筷子叉向陈雪："你个八婆。"

陈升看夏莹莹心情很好，便不失时机地凑到她身边，犹豫着说道："莹莹，我想告诉你一件事。"

----

① 鸣人：日本动画片《火影忍者》的主角。影分身是一种分身术，指变出一个外貌和自己完全一样的人。

"什么事？你说。"

"今晚你能不能早点下班，和我，和我一起……"陈升吞吞吐吐，"一起搬家。"

"你说什么？"夏莹莹的笑容瞬间凝固了。

"房东给我打电话，他的房子要卖了，让我们今晚之前必须搬走。"陈升耷拉着脑袋，像是打败的鸳鸯斗败的鸡。

陈雪在一旁没心没肺地笑道："Oh my god，我没记错的话，这是你们今年第三次搬家了，哈哈哈……"

当她看到夏莹莹和陈升难堪的神态，才意识到自己多么不合时宜，便将她的哈哈大笑硬生生咽下了肚子，说："不……不好意思。"然后急忙转身出门去了。

陈雪在门外听着，屋里沉默片刻，随即爆发出夏莹莹的号啕痛哭。

陈升先是劝了一会，哭声没有停止。

又听陈升说："要不我下午回去自己搬吧，你身体不舒服，就不用搬了，我搬好以后通知你，今晚咱们先在快捷酒店将就一夜……莹莹……对不起……"

陈雪听到最后，鼻子也酸酸的。

这时，陈升走出门，陈雪看他眼角湿润了。

陈升没有说话，正要离开，陈雪却叫住了他："陈升，你等等，我有事对你说。"

"什么事？"陈升神色黯然。

"潘董为了尽快卖房子，降低了房价，我们的新楼盘卖得特别火。你那个叫吴哲的同学也定了一套小户型，你要是能买的话赶紧也定一套吧。"

"哦，知道了。"陈升心不在焉地回答着，转身又要走。

"还有件事，"陈雪咬了咬嘴唇，欲言又止，最后，她只是说了一句，"陈升，这事不怪莹莹，要怪就怪你自己，你快努力挣钱吧。"

说罢，她转身进屋去了。

陈升魂不守舍，根本不明白她在说什么。

下午六点，陈升累得直不起来腰，他自己将所有的家当搬到了距离出租屋两公里的一个快捷酒店里面。

陈升躺在床上，拨通了夏莹莹的电话："莹莹，东西我搬好了，我现在在我们住处南边的那个快捷酒店，你下了班直接来吧。"

电话那头沉默了半晌。

"喂，莹莹，你在吗？"

"陈升，我今天晚上有个饭局，要晚点回家，你先睡吧，不用等我了。"

"饭局？和谁啊？"陈升笑着问。

然而，那头却挂断了电话。

陈升看着"嘟嘟"作响的手机，不知道该不该再次拨通问清楚。

时间缓慢地走着，一分一秒都牵动着陈升的心。他在等。

两个小时，三个小时，四个小时……直到凌晨一点，夏莹莹才回来。

陈升一直在等她，他发现她满身酒气，便扶住她，问："你喝酒了？"

夏莹莹神情憔悴而疲惫："喝了一点，头好晕。"

"你和谁吃饭了？你平时不喝酒啊。"

夏莹莹没有理会陈升，一头栽在床上，没有脱衣服，拉起被子盖在身上就要睡。

"莹莹，不脱衣服怎么睡啊，来，我帮你把衣服脱了。"

夏莹莹一脸不耐烦地褪去外套，便不再脱了，陈升想帮她脱里面的衣服，却被她尖叫着喝止："你烦不烦，人家难受死了，你就不能让我好好休息吗？"

陈升被夏莹莹的叫声吓了一跳，他看夏莹莹用被子蒙住头，本想再问她和谁喝酒，但心中一疼，便不再问了，默默地为她倒了一杯热水放在床头，然后隔着被子静静地躺在她身边。

他睡不着，就那样躺着。

那一刻，陈升感觉到自己虽然和夏莹莹只隔着一层被子，但却如同相隔千山。

< 十一 >

这是个飞速发展的时代，这是个爆炸的时代，这是个躁动的时代。

这座城市每天，每时，每刻都在发生着巨大变化，都在上演着光怪陆离。

一片片房屋倒下，一座座高楼站立，日升日落，人来人往。

一个月后。

2012年，1月20日。

潘氏地产，潘高峰办公室。

古色古香的办公室中，光线暗淡，潘高峰坐在雍容华贵的老板椅上，深沉地抽着烟，烟雾缭绕，神情严峻。

在他对面站着的是他的心腹马站立，马站立的脸上有几道血痕。新伤。

"小马，又和你老婆打架了？"

马站立苦笑道："哥，您还不知道我那媳妇，跟母夜叉一样。"

潘高峰弹了弹烟灰："又是因为房子吧。"

"嗯，是的，房子，她老埋怨我没给她买套房子，可是C市房价这么贵，我怎么买得起啊。"

潘高峰依旧面无表情，他将左腿放在右腿上，慢悠悠地问："你知道吗，香樟园新楼盘正式开盘以后，在短短一个月内就销售一空。"

"知道，潘董为了尽快让资金回笼，大幅度降低房价，所以才会卖得这么快。"

"这件事你怎么看？"

潘高峰这样问，马站立不知该如何回答，他想了想，答道："这说明潘董对公司转型很有信心吧？"

马站立没想到，自己的这句话竟然激怒了潘高峰。潘高峰猛然站起来，像愤怒的狮子一样怒目横眉，他连续地猛拍桌子，啪！啪！啪！啪！只听他怒吼道："他懂个屁，这是在刨我们潘家的祖坟，他就是个败家子！"

看着潘高峰暴怒，马站立尴尬地站在那儿，不知该怎么说。

潘高峰表现出来的愤怒只维持了不到半分钟。半分钟后，他缓缓坐回去，整理了一下自己笔挺的西服，然后又点燃一支烟。他看着马站立，用他不怒自威的男中音说道："小马，养兵千日用兵一时，现在是你出场的时候了。"

马站立回想起自己落难的时候潘高峰救过自己的命，他早已下定决心，一旦潘高峰有要求，他将赴汤蹈火为救命恩人卖命。

马站立毅然说道："哥，我这条命是您给的，有什么事您尽管吩咐。"

"当断不断，反受其乱，现在的形势就像是康熙死后的夺嫡斗争，不是他死就是我亡，你懂吗？"

马站立立刻明白了，但是，这件事太过重大，他犹豫了一下，低声说着："您的意思是，要把潘董……？！"

潘高峰在烟雾环绕中点了点头。

马站立心中一凛，但随即，"士为知己者死"的激情淹没了他的恐惧。他上前一步，干脆地答道："哥，您说吧，您打算怎么办？我绝无二话。"

潘高峰再次猛然站立起来，他狠狠地说道："我要把他……"

潘高峰眼露凶光，将手中的香烟狠狠地按灭在桌子上。

马站立看着潘高峰凶神恶煞的样子，即便是他这种亡命徒也不禁有些胆寒。"哥，我明白了，我会做得干干净净，绝不连累您。"

"这件事当然要做得干净，但是，"潘高峰用冷峻的口吻命令道，"但是你不要急，等我的消息，到时候我会教你怎么做。事成之后，我会给你一套好房子。"

房子？！马站立受宠若惊，他觉得自己即使灰飞烟灭也是值得的。

< 十二 >

2012年2月14日下午三点三十分。

阴沉了数日的天空终于降下雨滴，看这样子，不下个一两天是停不了的。

吴哲正在值班，忽然，他的手机响了，是陈升打来的。

"吴哲，晚上有时间吗？"陈升问。

"应该有时间吧，怎么了？"

"晚上一起吃个饭吧。"

"哦？"吴哲对于以抠门著称的陈升忽然要请自己吃饭有些不适应，但随即他便笑着回答，"好啊，这么久没见了，聚聚吧。"

"六点，朋友火锅店。"

"好的。"

六点整，吴哲站在朋友火锅店门口，等待着陈升。

不多时，一辆红色甲壳虫停在他面前，他一开始没有在意，可当他看到从轿车副驾驶上下来的人时，他有些意外，是陈升。

开车的是个女人，没有下车。吴哲只看到那女人戴着一副墨镜，穿着一件华丽的红色风衣，一手正拿着最新款的苹果手机。另外，吴哲还看清了那女人身边的提包——爱马仕铂金包。由于被长发遮住了半边脸，因此没有看清五官。陈升下车后关上车门，红色甲壳虫疾驰而去。

看着远去的车，吴哲笑问："你小子，不会傍了个富婆吧。开车那女的是谁啊？"

"还有谁，那是莹莹啊。"陈升面无表情，径自走进饭店。

吴哲更加惊讶了，他跟了进去，追问道："喂喂喂，不会吧，你知道她那辆车那个包值多少钱吗？你俩发横财了？可我看你这穿着打扮不像啊？"

陈升没有回答，他和吴哲找了个位子坐下，一口气点了一大桌子菜。

吴哲似乎察觉到了什么，便不再问了，只和陈升聊一些陈年旧事。

火锅开了，热腾腾的白烟升起，此时店里的顾客渐渐多起来，觥筹交错，喧闹不已。陈升打开了一瓶白酒，倒了两大杯，放在吴哲和自己面前。

吴哲笑道："你今天到底怎么了？要喝这么多酒……"

陈升举起酒杯，说："别的不说了，老同学，我只希望你今天能陪我好好喝一场，行吗？"

最后那个"行吗"二字竟然有些恳求的意思。

吴哲更加疑惑了：陈升到底怎么了？

吴哲举起酒杯："行，我陪你。"

陈升一仰脖，竟然将一大杯酒喝尽了，吓了吴哲一跳。吴哲正在犹豫自己是不是也应该喝完的时候，陈升却并不理会吴哲杯里的酒，他长叹一声，继而低下了头。

吴哲估算了一下自己的酒量，他估计自己无论如何也喝不完这满满一杯白酒，便闭着眼强喝了一半。

陈升抬起头，问："吴哲，我想问你件事。"

"问吧。"

"你说我这个人是不是很失败？"

吴哲早就料到会是类似的问题，他夹了一口羊肉卷，蘸着酱吃了，然后答道："老同学，你有这个想法就不对了，年轻人嘛，咱又不是富二代，总是要自己奋斗的嘛。"

陈升点燃一支烟，神情苦楚，说："奋斗，嘿嘿，我这辈子从上学开始就拼命努力，可是到头来，我却……我却连一套房子也买不起，我连自己的女人都照顾不了。"

吴哲探着身子，隔着桌子伸手轻轻拍了拍陈升的肩膀，安慰道："老同学，别这么说，你会有成功的一天，你可是名牌大学毕业的高才生。那些没有上过大学的人都能混得风生水起，你肯定也行的。"

陈升一声苦笑。他将自己的杯子倒满，一口喝了半杯。

看着这种喝酒法，吴哲有些蒙了。

陈升放下酒杯，感慨道："唉，真怀念上学的时候，那时候无忧无虑，大家穷富差不多，人也不那么势利。那时候我和莹莹放学后，吃着几元钱一碗的米线，做一个纸风车，骑一辆自行车去看落日。她坐在我身后，抱着我，将风车迎风举起，风车转动着，她笑着，我就那样骑着车子，她对我说愿意永远和我那样在一起。"

陈升的追忆也勾起了吴哲对往事的思念，吴哲也感慨起来："是啊，我还记得那时候看你带着夏莹莹花前月下，老实说，我是羡慕得要死啊。但是，我打心底里又觉得你俩郎才女貌，很般配。"他顿了顿，"可是，现在我也没有那时候的感觉了，不知道是时代变了，还是我们变了，变得圆滑了，变得麻木了。"

陈升并不吃菜，他将剩下的半杯酒喝了，有些醉了，便索性敞开怀，半躺在座位上，仰着头，口中大声哼着曲子。吴哲听得清楚，陈升哼的是流行歌曲《往日时光》："人生中最美的珍藏，正是那些往日时光，虽然穷得只剩下快乐，身上穿着旧衣裳……"

陈升哼了一会儿，又颓然说道："那样的时光再也不会有了，我这辈子恐怕也不会再有好时光了。"

吴哲听陈升这么说，心里有点不好受，便说："陈升，你是不是有点太消极了？"

陈升看了看吴哲，颇不以为然地撇了撇嘴，说："你知道吗？你和我不一样，你有希望，而我，我是一个没有希望的人。"

"希望？"

"对，是希望，就是希望。在这里，我没有希望。"

吴哲叹了口气，他知道陈升想说什么，但他不赞同，便正色说："陈升，你这么想就有问题了，虽然我们的处境有些问题，但希望还是有的。"

陈升想要说些什么，但是欲言又止，他抽了几口烟，轻叹一声，叹息中尽是悲凉。

然而，过了许久，陈升却又出人意料地转而赞同吴哲的观点了："不错，我同意，我也相信，我们的境遇会慢慢好起来的，我们的下一代就会好起来。"

说到这里，吴哲发现陈升的眼神又有了光华，那是有希望的人才有的光，没有希望的人眼神是暗淡的。

吴哲明显感觉陈升表面赞同自己言论，背后却隐藏着巨大的不同意见，他宁愿陈升将这种意见表达出来，那样他就能把握陈升的真实想法，但是，陈升并没有将他的不满说出来，这样的陈升更加令人担心。

吴哲觉得自己有义务为朋友排解心中的忧愁，他决定将埋在心中的话向陈升说明。他喝了一口酒，直截了当地说道："夏莹莹变了，我看得出来。"

对于吴哲的直接，陈升反而有些意外，他愣了片刻，随即掩饰道："你……你说什么呢？"

吴哲一摆手，示意陈升不要掩饰，他用干脆快捷的方式说："陈升，我不知道该怎么说，你也知道，现在很多漂亮女孩都跟了有钱人……"

话外之音不言自明。

陈升面部有些扭曲，他痛苦地喝了一大口酒，将杯子重重地砸在桌子上，又狠狠吸吮一下自己的下嘴唇，对吴哲说："你别说了，你的意思我明白，我又不是傻子，我会看不出来吗？"

"可是，你不能因为女人变心就消极处世，这对你对别人都没有好处，而且于事无补，你明白吗？"

"消极处世？不，哥们儿，我没有消极处世，因为我还有希望。"

吴哲一脸的不解：今天陈升说的话有些莫名其妙、语无伦次，前面说没希望，现在又说有了希望。

他看着陈升，期待陈升进一步说明。

陈升微笑着说："吴哲，你还不知道吧，莹莹怀孕了。孩子，不管怎么说，她有了我的孩子。"

吴哲愕然："陈升，你……"

"别担心我，我不会有事，我会为了我的希望奋斗。"陈升微笑了，"我的孩子，那就是我的希望。"

原来如此，吴哲终于明白了，陈升知道夏莹莹有外遇，所以心情郁闷，他一定在为自己的无能自责，但是夏莹莹怀了他的孩子，又让他在郁闷中获得了一丝慰藉。

吴哲看老同学发自内心地微笑，释然了，他明白了陈升的苦和乐，同时又感到一丝酸楚。

两人喝到半夜，直到饭店打烊才离开。

"吴哲，谢谢你今天陪我。"

吴哲拍了拍他的肩膀："会好起来的，老同学。"

"是啊，会好起来的，会好起来的……" 陈升临别时说，"天下没有不散的筵席，我们就到这里结束吧，希望以后还能再聚。"

吴哲喝得有点高了，他一时没有反应过来，直到陈升走后，吴哲才感觉到他最后这句话似乎别有一番意味。

< 十三 >

2月16日早晨六点十分。

一阵急促的手机铃声将吴哲从睡梦中惊醒。一天二十四小时，

他随时处于待命状态，即便他打算出C市市区，也必须先向领导请

示，未经批准，他若私自外出会有严重的后果。吴哲急忙看手机，

电话是市局打来的。

"喂，我是吴哲。"

"潘氏地产香樟园小区发生命案，局领导让你立刻归队。"

香樟园小区？命案？吴哲心中一凛，口中回答："是，我立刻

归队。"

"你不用回警局，直接去潘氏地产香樟园小区北区。"

"是。"

吴哲心想：买那里的房子或许是个错误。

吴哲穿上警服，驱车急匆匆赶到案发现场的时候，刑警队长

薛万彻以及办案人员已经聚集在现场了，警戒线一直延伸到小区大

门，小区业主尚未入住，整个施工工作被勒令全部停止，一切无关

人员严禁进出小区。吴哲知道，这是为了保护现场，这也是查案的

惯例，必须这么做。

吴哲看着潘氏地产上空已经停转的巨大风车，想起了自己的老朋友也在这家房地产公司，忽然，有种莫名的恐惧感浮上心头——这么巧？难道这是侦探小说吗？

薛万彻是一个年近五旬的老警察，他身材不高，体格也不是很健壮，但是斑白的须发以及仿佛是刻在脸上的皱纹却昭示着他久经沙场，经验丰富。

薛万彻看到吴哲，忙招呼他："小吴，来来来。"

吴哲赶到跟前："薛队，什么案子？"

"有人死了，就在这个小区里面。"

"谁？"

"潘氏地产的董事长，潘岩。"

"是他？"吴哲一皱眉，这个人继承了他父亲的家业，是一位实力与名声兼备的青年企业家，很有社会影响力，现在他死在自己开发的小区里面，这个事情会牵扯到很多利益关系。

吴哲问："薛队，案情复杂吗？"

薛万彻摇了摇头："案情很棘手。"

听说案情棘手，吴哲不但没有发愁，反而来了精神，他追问道："薛队，快给我说说吧。"

薛万彻上下打量一下吴哲，笑道："你小子，和你父亲真像。"

薛万彻和吴哲的父亲以前是同事，所以对吴哲，薛万彻除了有上下级的感情外，还有一种长辈对晚辈的感情。薛万彻以他多年从警的经验发现，吴哲将会是一个不可多得的刑侦人才，因此，薛万彻对吴哲可谓苦心栽培、重点培养。

薛万彻带着吴哲来到案发现场，这是小区北区的一个角落。这个角落是一个长十米，宽只有一米的胡同，胡同两边都是大路，唯有这里比较窄。

在里面躺着一具尸体，周围已经安插了锥形标，一个白色的轮廓沿着尸体边缘画在地上，刑警们正忙着拍照和做现场记录，几个穿着潘氏地产制服的工作人员被分开问话，他们一个个神情惶恐。

吴哲跟薛万彻来到尸体前，他看到躺在地上的人，正是潘氏地产的新任董事长——潘岩。吴哲在开盘仪式上对他印象很深，因此一眼就认出来了。

薛万彻对吴哲说道："死者潘岩，潘氏地产董事长，二十九岁，死亡鉴定结果没有出来，现在可以确定的是，死亡时间在昨天下午四点到今天早晨五点五十分这个阶段。"

吴哲立刻问道："为什么？"

"因为昨天下午他在公司开会，四点走出会议室，而报案人的报案时间是在今晨五点五十分。"

"谁报的案？"吴哲继续追问。

薛万彻一瞪眼，指着吴哲说道："你小子，你倒成了队长来追问我？"

吴哲吐了吐舌头，挠着后脑勺说："薛叔，对不起。"

薛万彻看了看周围的楼盘，问："小吴，我听说你在这个小区买了一套房子？"

吴哲暗暗吐了吐舌头，心想：不愧是老刑警，"情报工作"做得真到位。

薛万彻抽出一支烟，点燃了，猛吸一口，说："既然你是这个小区的业主，我看这个案子就交给你办吧。"

"交给我？"吴哲没有料到薛万彻会做出这样的决定。

薛万彻抽着烟，看似漫不经心地说："怎么，你不敢接？"

吴哲朝薛万彻敬了个标准的礼，然后坚定地说道："保证完成任务。"说罢，他又朝薛万彻笑嘻嘻地说道，"薛叔，谢谢您。"

薛万彻连忙摆手："别别别，你先别谢我，你当我是给你机会啊，我告诉你，是因为最近要开重要的会议，上级领导要求一定要保证大会的顺利召开，局里事情太多了，我实在抽不出身，这才把这个案子交给你。我告诉你，案子要力争办好，办不好我就把你交给你爹，让他教训你。"

吴哲依旧笑嘻嘻的："嘿嘿，您放心吧薛叔，我不会让我爹教训我的。"

"我会安排韩景天协助你。"

"嗯。"

"我待会儿要回市局处理一些事情，这里就交给你了。"

"是。"

<　十四　>

薛万彻走后，吴哲接手了案子。

他首先仔细地勘查案发现场，刑警队员韩景天拿着本子跟着他。

韩景天，二十三岁，公安大学毕业，是刚加入刑警队的新人。

吴哲看着地上躺着的男子尸体。眼睛圆睁，嘴巴大张，舌头伸出呈紫黑色，脖子上有明显的痕迹。

另外，尸体口中有血迹。

吴哲又看了看周围满是雨水的道路，足迹早已被一夜的风雨洗刷得干干净净。吴哲弯下腰，仔细查看了死者身上的东西，没有什么异常。

看了许久，吴哲站起身，对韩景天说："记！"

吴哲说得很简洁也很平静，但却有一股令人难以抗拒的力量。吴哲加入刑警队后，屡破奇案，韩景天对这个传奇学长很是敬佩。

韩景天从怀中取出本子。吴哲背着手绕着尸体走，流利地说："死者系被勒死，初步推断为他杀，凶手身高在一百八十二公分以上，臂力过人。死者与凶手可能认识，这应该是一起有预谋的谋杀案。"

韩景天记录着，不解地问："学长，验尸报告还没有出来，你就这么肯定吗？"

吴哲一边继续查看着尸体，一边向韩景天解释道："死者表情惊恐而痛苦，显然是被某人突然袭击。死者脖子上有清晰的抓痕，那是被害人生前挣扎时留下的印记，是他杀最有力的证据。至于凶手身高，并不难判断，只要看看死者脖子勒痕的角度，再联系死者身高，就基本可以判断出凶手的身高了。潘岩身高接近一百八十公分，从他脖子上略微向上倾斜的勒痕就能确定，凶手身高为一百八十二公分以上。另外，潘岩虽然不算强壮，但也不是十分瘦弱，能将潘岩勒死并不是一件简单的事情。你再看潘岩脖子，那道勒痕勒进了肉里，这一切都显示凶手臂力过人。"

韩景天问："你如何断定潘岩和凶手认识？"

吴哲指着周围的高楼答道："你看，四周都是未完工的大楼，这种偏僻的角落，以潘岩的身份，晚上，下着小雨，他平时会来这里吗？不会，他的尸体出现在这里只有两种可能。第一，被杀后抛尸此地，但这就有疑问了，凶手完全可以毁尸灭迹，为何要将尸体放在这儿？第二，从我对尸体的初步观察可知，这里应该就是第一现场，而不是抛尸地点。排除了抛尸，那么潘岩来这里的可能性只有一个，那就是他是主动来这里的，他应该是有特别的事情要处理，极有可能是被什么人叫到这里来的，除此以外，他还有什么理由在那个时间来这种地方呢？"

"所以你断定这是一起有预谋的谋杀案？"

"不仅如此，你看，"吴哲翻开潘岩的衣服，指着手表和钱包对韩景天说道，"潘岩价值不菲的欧米茄手表和钱包还在他的衣服里面，钱包里面还有钱和卡，不像是被人动过的样子。假如不是有预谋的谋杀，是谋财杀人，那么凶手应该拿走他的手表和钱包才对，凶手没动手表和钱包，说明这不是一时起意的谋财杀人，也就说明这是一起有预谋的谋杀案。"

韩景天一副恍然大悟的样子，对吴哲赞道："哇，不愧是学长，我在警校就听说你是'警界新星'，真是名不虚传啊。"

吴哲完全没有在意韩景天崇拜式的夸赞，他又翻看了一遍尸体，摇了摇头，说："不对，少了什么东西。"

韩景天忙凑过去，伸着脖子看尸体："少了什么？"

"手机。"

"手机？"

"对，潘岩不可能不带手机，可是手机哪去了呢？"

"是啊，不带手机确实反常啊。"韩景天记下了这一点。

吴哲一边分析案情，一边小心翼翼地将潘岩口中的血迹取入器皿，他问韩景天："现在咱们市局化验血样要多久能出结果？我说的是DNA验证结果。"

"大概要一周，少说也要四五天。"

吴哲皱了皱眉："这么久？"

"一直都是这么久。"

"不是说新引进了国外的设备吗？怎么效率一点都没有提高？"

韩景天耸了耸肩膀："这个我就不知道了。"

吴哲略显无奈地摇了摇头，将取好的血样交给韩景天，吩咐道："快，将这个血样拿去化验，DNA验证，要尽快出结果！越快越好，最好是明天！"

"明天？这恐怕有困难吧。"

"这个命案牵扯的事情很复杂，所以必须第一时间拿到结果，我会向局里申请。"

韩景天接过血样，问："学长，你怀疑这是凶手的血？"

"有可能，因为被勒死的人一般不会在口腔中出现这么多的血，这血极有可能是凶手留下的。"

"哦，那我这就送去化验。"

吴哲却说："你不要去，你跟着我，派其他警员去吧。你去把报案的人叫来，我询问一下。"

"是。"

不多时，一个四十多岁的男子来到吴哲面前，他身穿保安制服，神情局促而惶恐。

吴哲问他："你是报案人？"

"是，是我报的案。"

韩景天在一旁递过来询问笔录，吴哲看了一眼，上面已经记载了报案人的大致情况，这个男子正是该小区的保安。吴哲随便看了两眼，便将笔录放在一边。他又问那男子："你是几点，怎么发现死者的？"

男子答道："我值昨天晚上的夜班，今天早晨五点五十分我巡逻到这里，就发现了潘董的尸体，然后我就打110报案了。"

"你值的夜班？那你为什么直到早晨才发现尸体？"吴哲盯着那男子的双眼。

男子更加惶恐，他的手有些抖，说："因为，因为昨天晚上下雨，所以我就没有巡逻。今天早晨五点多雨停了，我立刻就出来巡逻了，唉，谁能想到出这么大的事啊。"

"你昨天值班是几点到几点？"

"昨天下午四点到今天早晨六点。"

"也就是说你这段时间内都在这个小区？"

"是的。"男子说着，又哀求道，"警官，求您千万别把这事告诉我们潘主任，让他知道我可吃不了兜着走，我们公司的管理是很严格的。"

吴哲知道他说的是潘高峰，看来，这个潘高峰在潘氏地产内部有很多人都怕他呢。

吴哲便问："你们这个小区的主管就是你说的潘主任，潘高峰吧？"

"是的，是他。"

"他在公司吗？"

"发现潘董尸体后我就通知了潘主任，他已经来了，刚才还在这儿呢。"说着，保安向四周张望，不多时便从人群中找到了身材高大的潘高峰，他指着潘高峰，说，"看，潘主任就在那边。"

吴哲点了点头，然后对韩景天说："走，我们去见见这位大名鼎鼎的潘主任。"

潘高峰正在安排公司人员善后，配合警察工作。吴哲找到他，亮明身份后问："你就是潘氏地产的副总裁潘高峰吗？"

潘高峰看似随和，但一股高高在上的傲气由内向外散发出来，他答道："是我，警察同志，有什么我能帮上忙的吗？"

"是的，我们有几个问题想要问问你。"

"哦，刚才这位同志已经问过了。"潘高峰指了指韩景天。

吴哲却说："现在有些新情况，我需要再次询问你，请你配合。"

潘高峰抽出一支烟，神色如常，说："没问题，随时配合。对了，我刚才听说，你们判断我弟弟是他杀？"

"不错，初步判断是他杀。"

"凶手是谁？"

"暂时无法确定，你有什么线索提供给我们吗？"

"走吧，去我办公室谈吧。"说着，潘高峰径自走了。

吴哲和韩景天跟着潘高峰来到他的办公室。

潘高峰的办公室用的是清一色的中式家具，宽敞的办公室中央是一个奢华的巨大办公桌。在潘高峰所坐位置的后墙上，悬挂着大型中国画，画中江河奔流，其上书写着著名诗词《沁园春·雪》。正对潘高峰的墙上，则挂着一幅猛虎下山图。

那只老虎威猛无比，霸气外露。吴哲和韩景天不禁多看了几眼。

潘高峰笑道："二位看我这猛虎如何？"

韩景天说道："够气派的。"

潘高峰略显得意："当然气派，这可是我花了大价钱请名家作的画。"

说着话，潘高峰招呼吴哲和韩景天坐下。

吴哲问潘高峰："看来潘总喜欢老虎？"

潘高峰抽出香烟，让给吴哲和韩景天，二人谢绝，潘高峰便自顾自地抽起来，然后答道："吴警官，在所有动物中，我最喜欢的就是老虎，西方人将狮子看作百兽之王，这是错误的，真正的百兽之王是老虎。雄狮看似威猛，张牙舞爪，其实徒有其表，狮群捕食都靠母狮，雄狮是个大懒虫。而老虎则不同，老虎喜欢独居，有能力，有威严，那种不怒自威的内敛很符合东方人的特点，这种内圣外王的气质才是真正的王者气派。"

这时，潘高峰的秘书端来了茶水。与大多数老板不同，潘高峰的秘书是个男的。

吴哲品了一口茶，一股淡淡的清香，沁人心脾，虽然吴哲不懂茶道，但也能知道这是上好的茶。

潘高峰接着发表他的"动物论"："在所有动物中，我最不喜欢的就是狼，试想，假如这个社会人人都变成狼，那该是多么可怕的一件事。"

韩景天竟然情不自禁地点了点头。

吴哲却说："潘总，你对于动物的论断似乎没有什么科学依据，这个问题还是交给动物专家去讨论吧，我们该谈点正事了。"

潘高峰对吴哲打断自己的话颇为不满，他轻哼一声，说："哼，看来吴警官不是很赞同我的观点。好了，你们有什么问题尽管问吧，我知无不答。"

吴哲也不客气，立刻问道："据我了解，潘岩是你的亲弟弟？"

"不错。"

"你是几点知道他的死讯的？"

"今天早晨六点。"

"然后你做了什么？"

"我直接来这里了，安排人员配合你们啊。"

吴哲忽然话锋一转，问道："潘总，潘岩作为你的弟弟，他忽然死亡，你难道不伤心吗？"紧接着，他补充道，"我的意思是，我和你接触的这段时间，你一直在谈论动物，似乎对潘岩的死你不是很关心啊？恕我直言，亲人罹难而不伤心，这是常理上难以解释的。"

潘高峰面无表情，他很平静地答道："吴警官，你年纪不大，问话却很犀利，呵呵，你的说话方式很符合我的胃口。好吧，我就实话告诉你。我这个人呐，天生心肠硬，别说是我弟弟，就是我父亲死的时候我都没有掉一滴眼泪，当时就有很多人说我是冷血动物。"

吴哲和韩景天对视一眼，两人心领神会：你难道不是吗？

潘高峰接着又说："其实是世人误解我了，我潘高峰是有血有肉的人，亲人死去我怎么可能不伤心？但是，现实告诉我，悲伤无法让死人复活，我们必须直面生活中无可避免的悲伤，尽可能将这种影响人思维的情绪控制住，做好活人该做的事情，这才是对亡者最好的告慰。我父亲死时，我无数次从梦中惊醒，想要大哭，但我都控制住了我的情绪，因为我知道，那于事无补。"

潘高峰说着，有些出神，似乎在回忆一些往事，但这个片段停留了不足两秒钟，便消失了。潘高峰又说："我不知道你们看过美国电影《教父》吗？我看过，我喜欢里面的台词，'女人和孩子可以犯错，男人不行'，'不要像个女人一样哭哭啼啼地哀求，你是男人'。吴警官，你觉得我一定要像女人一样哭得死去活来，才是正常的举动吗？我安排好弟弟的后事，管理好我们潘家的公司，我想这才是一个男人应该做的吧？我这么回答你满意吗？"

吴哲心想：这个潘高峰要么是个奇才，要么是个疯子。但他转念又一想，这两者其实在某些人身上可以画等号。

吴哲笑了笑，说："潘总，你的回答在逻辑上无懈可击，我无话可说。那么我问下一个问题，其实这才是我原本要问你的第一个问题，你弟弟潘岩有没有什么仇家？"

"仇家肯定是有的。"

"哦？是谁？"

"这个可不好说，我们潘家生意做得这么大，不可能不得罪人，竞争对手，甚至是被开除的员工，都有可能是我们的仇家。"

"能说得具体点吗？"

"你是让我说出名字吗？"

"对。"

潘高峰又点燃一支烟，抽了一口，想了想，答道："吴氏地产前不久和我们争一块地，输了，一直记恨我们。我们拆迁的时候得罪了当地的一个地头蛇，叫金三。至于开除的员工，那就多了，不过我们公司开除的人多是被我开除的，他们应该不会记恨我弟弟，不过也说不定，谁让他是公司董事长呢？"

韩景天记下了这些名字。

潘高峰又说："你们看现在我们潘家风光无限，其实我们走到这一步真不容易，一步一步走到现在，堪称筚路蓝缕，历尽艰辛。当年我爹白手起家，给人家盖屋子，那时候我还小，跟着我父亲在工地干活，一干就是一天，累得腰疼，晚上连睡觉都睡不着。不过后来总算是熬出头了，我们潘家应该感谢这个时代。我父亲去年去世，我和我弟弟撑起这个家业，这么大的公司，现在房地产业前景不明，考验我们的时候又到了，我原本打算我和弟弟联手渡过难关，没想到他却被人害死了。"

"潘总对于潘岩被害有什么想法吗？"

"我能有什么想法，我只希望你们警察尽快破案，抓住凶手。"

吴哲忽然发问："你这么确定潘岩是被人害死的，而不是自杀或者意外身亡？"

潘高峰一愣："哎，我弟弟被人杀害不是你的判断吗？你怎么反倒问我？"

吴哲没有正面应对，又换了个话题："潘总，昨天下午四点到今天早晨五点五十分你在哪儿？"

潘高峰皱了皱眉，有些警觉地问："怎么，吴警官，有什么问题吗？"

"没什么，我们今天只是初步调查，我们会综合各方面情况尽快找出凶手。"

潘高峰察觉到吴哲看似毫无逻辑的问话其实是有所指，矛头似乎指向自己，他冷哼一声："哼，是啊，是应该尽快找出凶手，而不是在我这里浪费时间。"

韩景天听着潘高峰说话毫不客气，他伸手指向潘高峰想说什么，却被吴哲阻止了。

潘高峰用不耐烦的语气答道："告诉你们吧，昨天下午四点我在开会，五点散会后我一直待在公司，直到晚上九点，九点以后我就回家休息了，今天早晨六点到了这里。"

"谁可以证明你的行踪？"吴哲问。

"开会的话我们公司人都在，散会后我的秘书可以证明我一直在办公室，在家里只有我一个人。"

"你一个人在家？潘总没有家人吗？"

"你是指妻儿吧？"

"对。潘总看起来有四十岁了吧，你事业有成，结婚生子再正常不过了。"

"哼，你们是中央情报局在调查恐怖分子吗？连我的私生活也过问？"潘高峰很抵触，不过最后他还是回答了吴哲的问题，"我原来是有妻子的，但是后来离婚了，我没有孩子，也没有再娶，现在就是我一个人过。"

说着，潘高峰忽然下了逐客令："对不起二位警官，我还有公务要办，今天就谈到这里吧。"

韩景天轻哼一声，吴哲却很平静，说："潘总，今天打扰你了，不过我们还有些事情需要你配合，我们要查看你们公司的监控以及相关记录。"

"这是你们的权力，我无权阻止，我会随时配合公安机关的一切调查。"

"那就好，请问监控室在哪？"

"在二楼。你们自己可以找到，我就不奉陪了。"

"谢谢，那再见了。"说罢，吴哲带着韩景天离开。

"哼，我可不希望成天和你们警察见面。"

吴哲已经走到了门口，回头笑道："潘总，我们还会见面的，相信我。"

潘高峰听到这句话，不由得背后一紧。

＜ 十五 ＞

出了潘高峰的办公室，韩景天低声说："这个潘高峰，仗着财大气粗，目中无人，算什么东西？"

吴哲则低声问道："小韩，你觉得潘高峰这个人有问题吗？"

"当然有问题，他就是欠修理。"

"我说的不是这个，我是说你觉得他和潘岩被杀案有关系吗？"

韩景天愣了，他想了想，答道："这个家伙虽然可恶，但是从他刚才的回答，他似乎没有作案可能。"

"哦？为什么？"

"他不是有不在场证明吗？"

吴哲却说："不在场证明？除了下午的会议，谁能证明他昨天下午五点到今早五点五十分干了什么？他的秘书吗？"

韩景天忙问道："怎么？学长发现什么了吗？"

"没什么，只是感觉潘高峰似乎在隐瞒什么。"

"说说说说，学长发现什么了？我怎么没发现呢？"

"今天我们和潘高峰谈话，他的话特别多，但据我了解，这个人平时话不多，这一点很反常。从心理学角度来看，一个人的话突然增多，有可能是为了掩盖内心的恐惧和秘密。另外，当我突然问他怎么确定潘岩是被人害死的时候，他明显情绪开始激动，这一点也让人怀疑。"

"哈哈，我就说嘛，这潘高峰肯定有问题，我估计啊，潘岩八成是他杀的！"

吴哲却摇了摇头，说："可是，刚才那两点只是我的猜测，你也可以将其称为警察的职业病，这种猜测在有实质性发现之前，没有什么意义。"

两人说着，走到了监控室。

潘氏地产北区监控室内，几名监控员正聚在一起叽叽喳喳地议论着潘岩的死，当看到两名警察进来，他们都闭口不言了，一个个有些惶恐地看着吴哲和韩景天。其中一个年纪稍大的主动走过来，问："您二位就是来调查的警察同志吧？"

"是。"

"哦，潘主任已经打过招呼了，让我们配合你们的工作。"

"谢谢，麻烦你将最近两天的监控视频调出来，我们要一一查看。"

"好的，没问题。"

潘氏地产有着一套完备的监控系统，南北区内以及小区外围都囊括其中，几十个屏幕一天二十四小时不间断地显示着小区全景。

吴哲仔细地观看着昨天的监控录像。号称管理严谨的潘氏地产小区，从大门到小区内每个角落，都被摄像头覆盖了，每一个进出小区的车辆和行人都看得清清楚楚。

虽然楼盘尚未完工，但除了货车和工人，还有很多业主来看楼盘的施工情况，因此人流量并不算小。

吴哲让韩景天从15日早晨开始查找，一个人一辆车也不要漏掉。

韩景天龇了一下牙："看来要费点力气了。"

忽然，吴哲的手机响了。他接通电话，是队长薛万彻打来的："吴哲，你来局里一趟。"

吴哲听到，电话里还有一个女人的吼叫声。

什么情况？

吴哲不敢怠慢，对韩景天说："小韩，薛队让我回警局一趟，这里你留下，尽快排查进出这个小区的可疑人物，尤其注意看潘岩进入的时间，以及与潘岩接触过的人。"

韩景天应了一声。

<　十六　>

吴哲驱车赶回市局。

当他走到薛万彻办公室的时候，他愣住了，只见一个穿着奢华的中年女人正在指着薛万彻大吼大叫："你们警察不作为，我儿子死得这么惨你们竟然毫无察觉，人都死了一晚上了你们还破不了案，我们纳税人交钱养你们有什么用？"

薛万彻坐在办公桌前，冷冷地看着那女人，一言不发。

是谁这么大胆子？敢来刑警队这样闹事？

吴哲快走几步，来到薛万彻身边："薛队，吴哲向您报告，有什么任务请指示。"

薛万彻仍冷冷地看着那个女人，缓缓说道："李女士，你儿子潘岩的死不受我们公安局的控制，我们现在能做的是尽快捉拿杀人凶手，揭开事实真相，而不是像你这样在这里无理取闹。你要清楚，你这样做只能拖延我们破案的时间。"然后，他指着吴哲对那女人说道，"这位吴警官就是负责潘岩被杀案的人，你有什么问题可以问他，但是我先告诉你，暂时不能公开的东西我们无可奉告。"

吴哲明白了，眼前这个贵妇应该就是潘岩的母亲。

果然，薛万彻对吴哲说道："吴哲，这位李秀丽女士是死者潘岩的母亲，她希望向我们了解一些关于案件的情况。"

"是，薛队。"吴哲这才仔细看了看这女人，她身材修长，岁月的刻痕掩盖不了她曾经美丽的容颜，一身貂裘大衣，全身明晃晃的贵重首饰和那个限量版的LV手包，无不显示着她的财富。吴哲说道："李女士您好，我是刑警队的吴哲，关于潘岩的案子您想了解什么呢？"

"我儿子是谁杀死的？"李秀丽的眼眶忽然有些湿润了，她不再吵闹，急切地问道。

吴哲没有直接回答她，他拉来一把椅子，放在李秀丽身边，说道："请您先坐下，我们慢慢谈。"

李秀丽没有坐，她只是盯着吴哲。

吴哲看她不坐，也站着，便答道："寻找杀人凶手正是我们调查的目的，一旦确定凶手身份，我们会立刻实施抓捕。"

"要多久？"

"暂时无法确定，但我相信会很快。"

"很快是多久？"

"李女士，破案需要证据，它受到很多条件制约，不是我们主观能够把控的。但是您放心，我们刑警队会全力以赴，尽快破案，给死者家属一个满意的答复。"

李秀丽的眼泪已经从眼角滑落，但是这个女人却没有失态，她轻轻地擦了下眼角，然后狠狠地说："我要你们三天破案，如果不能捉住杀我儿子的凶手，我就要向社会宣布你们公安局不作为。"

吴哲看了看薛万彻，薛万彻面无表情，没有说话。

李秀丽不再问什么，她转身离去，临走前狠狠地瞪了薛万彻和吴哲一眼。

等李秀丽走后，薛万彻站起身，关上办公室的门，问吴哲："吴哲，你估计多长时间能够侦破此案？"

"薛队，您又不是不知道，命案的侦破并不容易，更何况通过我初步观察，潘岩被杀案不是一件简单的凶杀案，由于潘岩的身份和地位，这件命案背后很可能牵扯巨大的商业利益，这就更麻烦了。我现在不能给您具体的破案时间。"

"这些我都知道，可是，李秀丽的社会影响力你不是不知道……"

吴哲明白薛万彻担心的理由了，李秀丽作为潘氏地产前任董事长遗孀，随丈夫与很多社会名流都有结交，如果现在她通过媒体煽动舆论施压，可能会对市局造成负面影响。

吴哲点了点头："薛队，我明白了，我会用最快的速度抓住杀死潘岩的凶手。"

"好。你还需要什么？"

"人手，现在需要排查的人太多，只有我和韩景天两个人远远不够。"

薛万彻却摇了摇头："所有的技术支持我都能给你，你送来的血样市局已经同意用最快的速度进行DNA检验，尽量在二十四小时之内出结果。而且武警特警的调动你可以申请，市局会尽量满足你的要求，但是，唯独刑侦人员，现在一个人也抽不动了。"

吴哲愕然。但是他又有什么办法呢，他只得硬着头皮答道："那好吧，我全力以赴。"

薛万彻又说："你现在有什么线索没有？"

"通过初步调查，我分析，杀死潘岩的人一定是获得最大利益的人，这是杀人动机，而潘岩的死，获得最大利益的人有两个。一个是他的哥哥潘高峰，另一个就是他的母亲李秀丽。因为潘岩一死，潘氏地产有继承权的只有他俩。"

薛万彻点燃了一支香烟："我同意你的分析，可以对潘高峰和李秀丽重点排查。但是我要提醒你，这两人都有很大的社会影响力，在没有确凿证据的情况下，你不能贸然出手，懂吗？"

"我明白。"

<　十七　>

吴哲从薛万彻办公室走出来已经是上午十点。韩景天打来了电话："学长，昨天的监控录像全部查完了，有重大发现。"

吴哲立刻来了精神："你在监控室等我，我马上到。"

半小时后，吴哲来到监控室。

韩景天也不废话，他将监控视频调到2月15日下午五点三十分，指着一辆宝马轿车对吴哲说："学长，你看这辆车。"

吴哲顺着他的手看去，几个监控摄像视频分别出现了这辆车子，通过几个角度可以看出这辆车子的全部行踪，车子在小区里行驶，在一个偏僻处停下，从车内走出一个高大的男子。那男子下车后，步行至一处角落，他不再走动，开始抽烟，似乎在等待着什么。

吴哲问："他是谁？"

韩景天答道："我刚才问了这几个监控员，这个人叫马站立，是潘氏地产副总裁潘高峰的司机，这个人后面会有很可疑的动作。"

韩景天将监控视频放大，吴哲看清楚了，果然是潘高峰的司机马站立。他来这里做什么？吴哲的心思飞快地运转。

"学长，你再看这个。"韩景天再次将视频时间调整，他又指着监控录像对吴哲说，"你看这个人。"

时间显示是15日下午六点零一分，一个穿着休闲装的瘦高男子出现在小区大门口。吴哲看到，那个人正是潘岩！

"啊，潘董真的是昨晚从大门走进来的？"在一旁的潘氏地产监控员惊呼，"可是，他竟然不开车进来吗？如果他开车我们一定会发现他，他徒步进来我们就没有办法了。"

"你们门岗不留人吗？"吴哲问。

"嗨，这么冷的天，小区里又没住人，小偷也不会来，保安就都在屋里了，谁能成天杵在外头啊？"

吴哲不再理会监控员，让韩景天继续放监控录像。

潘岩的行踪很清晰，他进入小区后徒步行走，而且，他在走动时接听了电话。吴哲默默记下了时间：下午六点零三分。这个电话约有两分钟，六点零五分，潘岩将手机放入了衣服口袋里。

最终，在六点零八分，潘岩走进了死亡现场，那就是他被杀的地方。

然而，怪事发生了！

恰恰是最关键的命案现场，潘岩在那里消失了，确切地说，那里竟然是个监控死角。那个区域，监控摄像头拍不到！

吴哲立刻感到不妙，他指着显示器问监控员："这里怎么是死角？你们不是说整个小区没有死角吗？"

监控员也都愣了："是啊，本来是没有的，可什么时候开始那里照不到了？"

众人面面相觑。

韩景天又说："学长，你看这里。"

吴哲看去，马站立也走进了那片区域，与潘岩不同，他是从另外一个方向走过去的，监控录像时间显示当时为六点十五分，五秒钟后，马站立沿着原来的路线从该区域出来，然后驾车离开了小区。

而监控中，潘岩再也没有出现过。

诡异的场景！

吴哲咬了咬牙，皱着眉头说："是马站立杀死的潘岩？！"

韩景天指着监控，肯定地说："不是他还有谁，从监控来看只有他这个可能了。"

吴哲盯着显示器，未置可否。

韩景天问："要不要查看那个地点的监控摄像头，看看是被谁动的手脚？"

"当然要查，你在监控室从案发前一天开始倒着查看，重点查看那个位置的监控摄像头，看是什么时候被挪动的。我去现场看一下。"

"是。"

吴哲快步来到案发现场，他沿着潘岩走的那条路走了一遍，他看到，前方一个高杆上就是摄像头，被人移动的就是这个。他走到摄像头下，仰头看，又望向案发现场。这里距离案发现场只有十几米，监控摄像头被调整了约六十度，案发现场成了彻底的盲区，显然，这是有人刻意造成的。

吴哲继续往前走，走到潘岩尸体所在地，他向案发现场的一侧望去，也就是马站立进入的那条路。他看到，那里是一条小路，小路的尽头便是小区的边缘处，是一个不起眼的角落，很适合隐蔽。

吴哲走到那个角落，他从角落里望向案发地，距离约有三十米。吴哲自言自语："会是马站立吗？"

吴哲抱着肩膀思考了片刻，他将自己的身份换成马站立，他开始模拟马站立的动作。从停车开始，下车，等待，看着案发现场。吴哲假定潘岩来了，他快步走向案发地点，然后又回到角落中。

吴哲看了一下表，从走向案发现场，又回到原地，时间正好一分钟。

吴哲估算着，来回六十米的路程以马站立当时的动作幅度，一分钟左右可以走完，但是，仅仅是走完。换句话说，马站立没有时间杀人。如果是枪杀倒是有可能，但是，潘岩是被勒死的，马站立又怎么可能在短短五秒钟内将潘岩活活勒死呢？

吴哲眉头紧锁，他踱着，思考着：有三种可能。第一，是马站立杀了潘岩；第二，他没有杀潘岩，是别人杀了，他是旁观者；第三，他没有杀潘岩，当时也没有别人杀潘岩，潘岩死亡时间不是六点十几分，而是更晚，监控录像虽然显示六点零八分以后潘岩就再也没有出来过，但这并不能就此证明潘岩就是死于那时。马站立走到案发现场，或许是有别的事。

　　吴哲正思考着，忽然，韩景天打来电话："学长，我快速浏览了监控室所有的监控录像。"

　　"谁动了监视器？"

　　"查不出来。"

　　"什么？"吴哲心中一凛，"你等我，我马上过去。"

　　吴哲再次来到监控室。

　　韩景天沮丧地告诉他："学长，潘氏地产的监控记录只能记录过去一个月里面的信息，但是很遗憾，我查看了过去一个月的全部录像，结果这个角度的录像都显示，那里是个死角。"

　　吴哲皱着眉，说："也就是说，那个监控摄像头一个月前就被人挪动了，结果却一直没人发觉。"

　　韩景天有些愤怒，说："还吹什么管理严格，狗屁！这么大的漏洞都没有察觉。"

　　在一旁的监控员神情惶恐，嘴巴张了几下，想说什么，却说不出来。

　　吴哲却说："其实这个事情也不能怪管理疏忽，毕竟这片盲区范围不大，平时没人会在意。像潘氏这种规模的大公司，即便管理再怎么严格，难免会有疏漏的。"

监控员如释重负："是啊，是啊，就是这样。"

"可是学长，我们必须尽快破案，这一天马上就过去了。你说咱们下一步怎么办？"

吴哲缓缓坐下，他平复了一下思绪，然后站起身，说："小韩，将这里所有的监控录像都封存，在破案前，没有公安局的命令，任何人不准动。另外，给薛队打电话，找到马站立，将其带回警局，我要审问他。"

"是。"

吴哲说着，大步径自走了出去。

＜十八＞

来到户外，雨后的空气极好，吴哲刚才心事重重，根本来不及享受这难得的好空气，如今，他放松了一下心情，将一股清新的空气吸入鼻腔中。他的心情稍好了一些。

这时韩景天也跟了出来："学长，下一步我们怎么办？"

吴哲没有立刻回答，他揉了揉额头，想了想，说："潘岩的手机不见了，这是一个十分可疑的地方，我们现在需要潘岩最近几天的通话记录，尤其是昨天到今天早晨的。"

韩景天答道："哦，这个呀，好办。虽然潘岩的手机不见了，但是只要通信公司合作，应该不难查出他的通话记录。"

"那就好，你快去办这件事吧。"

"是。"

打发走了韩景天，吴哲独自一人漫步在空旷的小区里面。因为命案的关系，整个潘氏地产已经被勒令停止所有工程项目，所有施工人员不得接近现场。

曾经繁忙的工地如今冷冷清清，雨后的地湿漉漉的，周围的高楼伫立在那，静静地看着地上发生的一切。

吴哲踱着，不知为何，他竟拨通了陈升的电话。

"喂，我是陈升，吴哲吗？"

"对，是我。"

"什么事？"

"陈升，我需要你帮我个忙。"

"请说。"

"我想向你了解一下你们董事长潘岩的社会关系，以及他平时交往的人。"

电话那头陷入了片刻的沉默，然后说道："我听说潘董被人害死了？"

吴哲未置可否，问道："陈升，你们潘董平时有什么仇家吗？"

"这个我不知道啊，像他那种人我是接触不到的。"

"一个公司内部一般都会有关于领导的传言，你们公司有类似的传言吗？"吴哲的思路与众不同。

"你又不是不知道我这个人，平时我最不喜欢的就是传闲话，这种事情我一般都不关心。"陈升顿了顿，又问道，"吴哲，潘董是不是真的被害死了？"

"嗯，是的，就死在你们小区。"

"啊！"陈升一声惊呼，"竟然是真的，我说今天公司里的人都紧张得要命，传言潘董遇害了，没想到，竟然是真的。"

"陈升，这件案子我在负责，我想和你见一面，了解一些情况，你有时间吗？"

又是一阵沉默，然后陈升答道："对不起吴哲，你也知道，莹莹怀孕了，我要陪她，所以……"

"没关系，理解，你先忙吧。"

"吴哲，你等等，"陈升忽然说道，"我想起一件事，不知道能不能帮到你。"

"哦？你说。"

"前一段时间公司开董事会，哦，就是我们三个一起吃饭那天，我记得那天潘主任和潘董在会上吵了起来。"

这个消息令吴哲眼前一亮："潘主任？是不是潘岩同父异母的哥哥潘高峰？"

"嗯，就是他，你见过的。"

"他们为什么争吵？"

"我也不太清楚，当时我净想着我的排水方案了，好像是因为潘董要改革，搞什么新能源，潘主任不同意，结果就吵了起来。"

"别的还有吗？"

"没了，我只知道这么多，你问有没有人和潘董有过节，我就想起来这事了，不过要说起来他们毕竟是兄弟，应该不会有这么大仇吧。我分析潘董被杀可能是其他人所为，这么恨潘董的人要么是潘董的竞争对手，要么是女人。"

"为什么这么说？"

"你想啊，潘董把房子降价这么多，其他开发商不恨他才怪。"

"女人呢？"

"嘿嘿，潘董是高富帅，平时肯定风流惯了，说不定伤害了哪个女孩。你没听说过吗？最毒妇人心，女人一恼什么事情都做得出来的。"

"呵呵，你的这个提法很有意思。"

"哪里，我也是随口一说。"

"老同学，谢谢你，你先忙吧，我会再联络你的。"

"好。"

挂断电话，吴哲陷入了思考：如果潘岩是被竞争对手害死，那他的尸体怎么会出现在自家小区里面呢？如果是和竞争对手见面，也一定是在办公室或公开场合，即便是在户外潘岩也决不会孤身一人。陈升分析说有可能是女人，但从死亡现场来看，死者生前并没有剧烈搏斗的痕迹，应该是被人偷袭勒死，所以，女人杀死潘岩更不可能，除非那个女人还有一个强壮的帮手，强壮到足以将潘岩勒死，而潘岩难以反抗。

这样分析的话，潘岩的死只有三种可能：第一，被人杀死后将尸体运到这里，这种可能已经被吴哲自己否定了；第二，他独自来到这里，被一个变态杀人犯偶然遇到，杀人犯临时起意将其杀死，这个可能性不是没有，但是几率太低了；第三，他是与熟人在这里见面，被人害死，这种可能性最大，但这个人又会是谁呢？应该不是马站立，但马站立在这中间到底扮演了什么角色呢？马站立是潘高峰的心腹，会不会真的是潘高峰害死了自己的弟弟？

吴哲信马由缰地踱着，思考着，最后，他长吁一口气：仅凭目前掌握的信息，要想破案显然是不可能的，他必须尽快掌握更多的证据。

吴哲在小区里面走了一个小时，忽然，手机响了，是韩景天打来的："学长，潘岩的全部通话记录已经拿到了。"

"你现在在哪？"

"我现在就在通信公司。"

"你等我，我马上到。"

<　十九　>

通信公司离香樟园小区不太远，开车十分钟就到了。

吴哲见到韩景天，韩景天正拿着长长的电话记录单看着。

见吴哲来了，韩景天站起身，将单子递给吴哲，说："这就是潘岩最近几天的通话记录了。"

吴哲仔细看了看，上面密密麻麻列了足有两三百个电话，叹道："这个潘岩还真是大忙人，比我们警察还忙。"

吴哲继续看着，上面记录着每一个电话，打进打出，通话的起止时间，甚至是未接来电以及对方未接的电话。

"你看了这么久，发现什么异常了吗？"

"最大的异常就在这儿。"韩景天指着通话记录最后的一串数字说。

吴哲看到，从15日下午六点零三分到十一点，有连续十几个来电。这十几个电话来自同一个号码，除了六点零三分那个电话是已接，通话时间为两分钟，其余的电话都是未接。吴哲问："这是谁的号码？"

"经过查询，这是潘岩的生母，李秀丽的电话。"

"李秀丽？"

"对，就是今天去市局大闹的那个女人。"

"是她？"吴哲皱起了眉头。

"学长，看来我们在监控中看到的潘岩接听的那个电话，应该就是李秀丽打的，他们母子之间是不是有什么秘密，李秀丽为什么连续打了十几个电话呢？"

吴哲没有回答，他看到，那一串李秀丽的号码之间，15日下午六点十分，潘岩拨通了一个电话，对方未接。

吴哲指着那个号码问韩景天："这个号码是谁的？"

韩景天略显神秘地说："学长，这个号码的主人就更有意思了。"

"是谁？"

"潘氏地产二把手，潘高峰。"

吴哲听罢，眉头紧锁，思虑半晌，最后站起身，说："看来案情渐渐有眉目了，我们先去拜访死者的母亲吧。"

吴哲让韩景天开车，去找李秀丽。

路上，吴哲坐在副驾上思考着问题。

韩景天问吴哲："学长，我能说说我对这个案子的看法吗？"

"你说吧。"

"我觉得是潘高峰杀了潘岩。"

"为什么这么说？"

"你想啊，杀死潘岩谁是最大的获利者，当然是潘高峰了。"

吴哲笑了笑："可根据法律，潘岩的母亲最有资格接手公司。"

"没用的，整个潘氏地产只服两个人，一个是去世的老董事长，一个是潘高峰。至于李秀丽，没人服她，即便给她这个公司，她也玩不转。"

吴哲饶有兴致地看着韩景天："咦，这些消息你怎么知道？"

"是刚才那几个保安议论的，我在一旁听见的。"韩景天又问，"学长，你说要去找李秀丽，为什么啊？"

吴哲没有回答，他拨通了市局技术科的电话，问："你好，技术科吗？我是吴哲，潘岩被杀案验尸报告以及死者口中血液检查的结果出来了吗？"

电话那头传来了技术科人员的声音："吴警官你好，死亡时间可以确定了。"

吴哲眼睛一亮，忙问："什么时间被杀的？"

"15日下午六点到六点三十分之间。"

吴哲暗暗点了点头：看来与监控录像显示的内容吻合，潘岩六时零八分进入角落后再也没出来，确实是被杀死了。

吴哲又问："血样化验的结果出来了吗？"

"这个暂时没有。"

"还要多久？"

"最快也要到明天早晨。"

"好，有消息请立刻通知我。"

"放心吧吴警官，市局领导和薛队长都安排过了，结果出来立刻通知你。"

< 二十 >

吴哲他们来到李秀丽的豪宅，这是位于C市郊区的一处顶级别墅，是著名的富人区。他们来到李秀丽家的时候，看到房门大开，里面灯火通明，人来人往。

二人来到大门口，却被两个身穿黑色西服、保镖模样的男子拦住了："你们是做什么的？"

二人亮出证件。

守门的保镖仔细查看了一下证件，说道："你们在这等一下。"

然后他们用对讲机向里面请示，得到命令后，这才放行。

韩景天在吴哲耳边低声嘀咕道："有钱人就是不一样，看家护院的都这么多。"

他们被领到会客室，不多时，李秀丽一身便装走了出来，在她身后跟着一个夹着公文包的瘦弱男子。

李秀丽坐下后，命保姆给吴哲他们沏了杯茶，然后她指着那公文包男子介绍道："这是我的私人律师，我希望我们谈话的时候他可以在身边。"

吴哲点了点头："没问题。"

吴哲问李秀丽："李女士，天都这么晚了，你家中还是门庭若市啊。"

"你们警察办案我不放心，所以我就请别人帮着搜集材料和证据喽。"

吴哲淡然一笑，说："李女士，今天我们来是想向你了解一下案发时候的情况。"

"我知道，你们问吧。"

"案发当天的下午六点到七点，你在哪儿？"

李秀丽答道："我在蒂娜养生会所。"

"证明人是谁？"

"所有蒂娜会所员工都可以证明。"

"说具体点。"

李秀丽皱了皱眉，一脸不耐烦，但最终，她还是说出了几个人的名字，然后说："她们可以证明。"

韩景天在一旁做着记录。

吴哲又问："据我们了解，你在案发当天下午六点零三分的时候跟你儿子潘岩通了电话，是不是？"

李秀丽有些吃惊，大概是没有料到警察会对她的行踪了如指掌，她喝了一口水，然后答道："不错。"

"电话的内容是什么？"

"没什么，就是问他回不回家吃饭。"

"他怎么回答？"

"他说约了一个重要的人见面，就不回来了。"

"他说约了谁吗？"

"没有。"

"谈话内容还有别的吗？"

李秀丽显得更加不耐烦了："吴警官，母亲给儿子打电话无非就是嘘寒问暖，问问累不累，饿不饿……"

忽然，她察觉到了什么，指着吴哲问："你……你在怀疑我？"

吴哲面无表情，语气依旧平缓："在破案以前，任何与潘岩关系密切的人都是怀疑对象。你不要急，我们只是按照程序排查。希望你能配合我们，把你知道的情况全都说出来，这样会帮助我们破案、捉拿凶手。"

李秀丽的手低垂下来，轻叹一声。

吴哲又问："李女士，据我们了解，你在下午六点零三分到十一点这段时间，一共给潘岩打了十几个电话，而且他都没有接，是吗？"

"是的。"

"你为什么不向我们说明这一情况？"吴哲盯着李秀丽问。

李秀丽却答道："你们也没有问过我啊。"

"你不觉得这很反常吗？母亲晚上找儿子，打了十几个电话都没有接，而你却不担心？"

"吴警官，我要是不担心会打十几个电话吗？"

"你既然担心你的儿子，那么你在深夜联系不上他以后，怎么不采取别的措施？比如派人找。"

李秀丽的神情有些黯然："吴警官，潘岩晚上出去玩不接我的电话是常有的事，而我一直给他打电话也是家常便饭，所以我没有当回事。我以为他只是像平时一样玩疯了，可没想到，他却被人……唉，我真后悔没有立刻去找他。"

吴哲说："李女士，你也不用太自责，即便你当时去找他，恐怕也于事无补了。"

"啊？为什么？"

"因为他当时很有可能已经遇害了。"

"已经遇害了……原来他没接我电话不是因为贪玩，而是他已经……呜呜呜……"李秀丽再也忍耐不住，悲伤地痛哭起来，"公文包"律师急忙递给她几张纸巾，在场所有人似乎也感受到了她的悲痛，都默不作声。哭了一会儿，她擦擦眼泪，定了定神，抽泣着说："我的儿子是我在这个世上唯一的希望，他死了，我活着又有什么意义呢？"

"公文包"律师在一旁低声劝道："李女士，您不要过于悲伤，死者已矣，生人还要生活下去啊。"

李秀丽并没有因为律师的劝解而平复，她悲伤地问："吴警官，你们能抓到凶手吗？"

"我们会抓到凶手的，只是我们现在需要掌握更多的线索。"

"你们想从我这里了解些什么？"

"所有关于你儿子的情况，所有有价值的线索都有可能成为破案的关键。"

李秀丽和吴哲说着话，眼神飘忽不定，她出神地自言自语着："我的儿子，娘这一辈子努力都是为了你，可是你却就这么没有了……儿子啊……儿子……"

李秀丽话音渐落，只是望着落地窗外，呆呆出神。就这样过了两三分钟，她忽然抬起头问吴哲："吴警官，在你眼中我是不是一个靠破坏别人家庭上位的坏女人呢？"

吴哲有些意外她会问自己这个问题，说："每个人都有自己想要的东西，只要不违法，我就管不着。"

李秀丽脸上闪过一丝复杂的神情，既有鄙夷又有骄傲，她继续说："我知道，在你们这些人眼中，我就是一个靠着傍大款上位的小三，虽然名正言顺地嫁给了老潘，又给他生了孩子，但归根到底还是被人瞧不起。哼，其实你们这些人才是最可悲的。这个世上，想要成功，就要有资本，就要努力，每个人都渴望富贵的生活，可是能够拥有的只有少数。我是一个出身农村的女人，我没有背景，没有资本，大学毕业后我打工四处碰壁，被人骗，甚至被人打。我也渴望成功，而我拥有的只有我的容貌和我的智慧，我遇到了老潘，他爱我，愿意娶我，我们结婚，生孩子，过日子，我这样做有什么错？难道我就应该一辈子受穷？我拥有今天的财富，既没有偷，也没有抢，我是依靠自己的努力得到的。吴警官，我问你，我错了吗？不，我没错，再让我选择一遍我还会做出同样的选择。"

李秀丽面对吴哲像是在倾诉压抑在自己心中多年的愤懑。吴哲静静地听着李秀丽的倾诉，不动声色，等李秀丽说完，他才说："李女士，你说的这些和本案有关系吗？"

"没有关系，不过也不是完全没有。"

"哦？那就把有关系的内容告诉我吧。"

李秀丽抿了抿嘴，犹豫一下，说："我走到今天，没有对不起任何人，除了……除了老潘的前妻还有……还有他的大儿子潘高峰。"

"请说具体点。"

"吴警官，你还不明白吗？我夺取了我的前任应该拥有的生活，并把本该属于潘高峰的东西给了潘岩。"

"你的意思是……"

"我的意思是，如果有人想杀我的儿子，那就是潘高峰。"

"为了潘氏地产的继承权？"

"对，我儿子死了，他就成了首选的继承人。"

"你有什么证据吗？"

这时，站在一旁一直没有说话的"公文包"律师插话道："吴警官，我们暂时没有证据，但是，我们给公安机关提供的这条线索很有价值，我们希望你们能够沿着这一条线查下去，相信会对你们破案大有帮助。"

吴哲点了点头，示意韩景天记录下来。

李秀丽又说："吴警官，我儿子被杀，绝对不是意外，一定是有人要害他，我希望你们公安局能尽快破案。我会尽全力配合你们的调查。但是，如果我听说你们警察有人因别的什么原因不秉公办案，不能把真凶抓获，哼，我李秀丽和你们没完。"

吴哲既没有生气，也没有退让，他淡然答道："李女士，你又多虑了，在我们国家还没有什么力量能阻止我们公正执法。"

李秀丽冷笑一声，说："吴警官，该说的我都说了，我还有事和我的律师商量，你们就先请回吧。"

吴哲看李秀丽下了逐客令，微微一笑，他让李秀丽在询问笔录上签上字，然后站起身，说："打扰了，李女士，我们先告辞了，感谢你的配合，如果有必要我们还会联系你。"

李秀丽站起身，头也未回地离开了。

吴哲和韩景天从李秀丽家出来。

韩景天低声说道："这个女人，明知道自己是小三上位，还这么嚣张。"

吴哲却说："你应该理解一个失去儿子的女人的心情。"

两人上车，这次换成了吴哲开车。

韩景天问吴哲："学长，你觉得李秀丽是凶手或是幕后主使吗？"

吴哲摇了摇头："我暂时无法判断她是不是，但是我认为她刚才说的都是实话，她没有撒谎。"

车子启动了。

"学长，你怎么判断出来的？"

"首先，她交代的和我们掌握的情况完全吻合，逻辑上没有问题，另外，就是凭我的直觉。"

"直觉？呵呵，那不是女人才用的玩意吗？"

吴哲瞪了一眼韩景天："你错了，这是一个刑侦人员必备的素质，它有时候是破案的关键。"

"有科学依据吗？"韩景天不依不饶。

"如果科学证明了我的观点我会告诉你，现在我们去李秀丽说的那个养生会所调查。"

李秀丽说的蒂娜养生会所是著名的贵妇保养地，这里装修奢华，服务周到，设备齐全，当然，价格也相当不菲，据说做一次两个小时全身调养的价钱足够普通家庭一年的开销。而那些有钱的女人之所以对这里趋之若鹜，除了因为这里一流的服务设施以外，还有一个原因——这里是她们交友的据点，不同的女人相互认识，再认识那些不同的男人，这是一个圈子的聚会场所。

李秀丽是这里的高级VIP。当吴哲和韩景天叫来蒂娜养生会所的值班经理询问15日的情况后，值班经理很淡定地为他们提供了当天的监控录像。监控录像显示，15日下午四点到八点，足足四个小时，李秀丽都在会所里面。接着，吴哲又询问了当天为李秀丽提供服务的服务员和按摩师，经过回忆，她们也都证实了李秀丽确实始终在做保养，期间和好友聊天，并打了几个电话。

韩景天低声对吴哲说道："学长，你的直觉真准，看来李秀丽不是嫌疑犯了。"

吴哲笑了笑，他问值班经理："请问，你还能提供一些15日关于李秀丽的其他消息吗？"

正说着，忽然从会所里面走出四个女人，她们衣着光鲜，打扮得十分入时，但从容貌上可以轻易地看出来，她们的年纪都不小了。当她们走到吴哲身边时，一个略胖的女人忽然停下了脚步，她似乎听到了什么，她看着吴哲和韩景天的警察制服问道："你们打听谁？是警察？要找李秀丽？"

吴哲看去，那女人约有五十岁，皮肤白皙，身材丰满，眉毛和眼睛都有明显的人工制作痕迹，身上一股浓郁的香气扑面而来。吴哲问："怎么？你有什么问题要反映吗？"

那女人上下打量一番吴哲，嘴角微微上扬，又问："你们是警察？来打听李秀丽的事情？"

"你怎么知道？"

"刚才路过，听到的。"

吴哲笑了笑："看来你对李秀丽很了解。"

这时，跟女人在一起的几个女人等得不耐烦了，嚷嚷道："谢姐，还走不走了，都几点了，还玩不玩了？"

叫谢姐的女人朝那几个女人一挥手："你们去外面等我一会儿。"

"快点啊，少了你可是三缺一。"

谢姐问吴哲："警官，听说李秀丽的儿子被害死了？"

吴哲和韩景天对视一眼：现代通信条件下，消息传播得好快。

吴哲问那女人："请问您是？"

站在一旁的值班经理插话道："这位女士就是大名鼎鼎的谢氏餐饮的董事长，谢宁女士。"

女人淡然一笑，神情越发高傲了。

吴哲和韩景天听到谢宁的名字，同时心中一凛，这个名字比李秀丽可响亮多了，谢宁创办谢氏餐饮，产业遍及大江南北、长城内外，享誉华人世界。如果说李秀丽只是一个攀上高枝的金丝雀，那谢宁就是货真价实的凤凰。

吴哲问："谢宁女士，久仰大名，您有什么要告诉我们的吗？"

"你还没有回答我的问题呢。李秀丽的儿子潘岩是不是被人害死了？"

吴哲笑了笑，回答说："对不起，调查的具体内容我暂时不能告诉您。"

"嘿嘿，警察这样说，那就代表默认了。"

"您有什么要告诉我们的呢？"

谢宁轻叹一声，说："潘岩是个挺好的孩子，他有今天，不怪别人，都怪他的母亲，那个狐狸精李秀丽。"

"哦？这话怎么说？"

"你们不知道吗？她是小三上位。"

"这似乎不是什么秘密。"

"哼，对，不是秘密，现在的人对这种事情见怪不怪了，不过呢，有件事你们恐怕还不知道。"

"什么事？"

"李秀丽自老潘董死后就不安分，她的野心可大了，这个女人不止想做慈禧太后，她更要做女皇，做武则天。"

慈禧？武则天？吴哲皱了皱眉："谢女士，您能说详细些吗？"

谢宁继续说道："你不知道吗？慈禧是什么，只是太后。武则天呢？那可是称帝了。这个区别，你懂吗？"

"您的意思是？"

"我的意思是，李秀丽想要独霸潘氏地产。"

"独霸？"

"对，就是独霸。"谢宁说着，抽出一支细长的女士香烟，用一个精致的小打火机点燃，然后，又说道，"这个女人心狠手辣，我估计，她为了实现她的野心，或许会害死她的儿子也不一定呢。"

吴哲更加疑惑了，他忙问："谢女士，您这么说有什么证据吗？"

"证据？哼，我可以告诉你们一个不算秘密的秘密。"

"什么秘密？"

谢宁也不避讳，大声说道："李秀丽在外面养了好几个面首，这件事你们难道不知道吗？"

面首？吴哲在脑海中搜索这个词，他立刻明白了，面首是女王的男宠，谢宁的意思是李秀丽在外面养了小白脸？！

吴哲看到，在一旁的值班经理听到这里抿嘴一笑，有意无意地将目光转向了别处。

看来，谢宁说的事情在她们这个圈子里知道的人不少。

吴哲大脑飞快地运转：按照谢宁的思路，李秀丽觊觎潘氏地产，又情欲勃发，因此会像武则天那样不择手段获取权力和金钱，以满足她的欲望，换言之，她也极有可能像武则天那样，害死自己的儿子登上宝座？！

吴哲问谢宁："谢女士，您说李秀丽害死了潘岩，说这话可是要负责任的，破案必须要有确凿的证据，而不是捕风捉影。"

话到这一步，谢宁说："警官，我说李秀丽害死她儿子只是我的猜想，我没有确凿证据，但是，我觉得我的想法不是没有道理，我希望你们能够参考。"

"谢女士，我发觉您似乎对李秀丽很不满？"

"哼，那种女人难道不可恶吗？"谢宁一脸鄙夷，"靠着勾引人家老公上位，野鸡插根羽毛就想变凤凰，她再怎么装扮也掩饰不了她的肮脏。看到她人模狗样的我就来气。"

"谢女士，您提供的情况我们会记录在案。不过我们还需要进一步的证据。"

谢宁瞥了吴哲一眼，将香烟随手一扔，不满地说道："你们警察啊，什么都要证据，太死板了，不怕坏人就这样被你们放走么？"说着，她转身便走，边走边说，"警官，这个圈子乱得很，水也深得很，有时候你不自觉地就会陷进去。"

谢宁走到大门处，值班经理忙不迭地冲过去帮她开门，深鞠躬送别："谢女士，欢迎再次光临，希望您满意我们的服务。"

吴哲看着谢宁的背影，回味着最后那句颇有深意的话，很是不解，但他想，谢宁有一句话说对了：这个圈子乱得很。

在蒂娜养生会所的调查耗费了三个小时，结果除了证明李秀丽不具备作案机会，其他的一无所获，吴哲颇为沮丧。就在他和韩景天要离开的时候，薛万彻打来电话：马站立已经找到了，人就在警局。

听到这个消息，吴哲不禁精神一振，与韩景天驱车立刻往回赶。

< 二十一 >

吴哲和韩景天回到市局的时候已经是16日晚上十一点多。

刑警队长薛万彻的办公室内依旧灯火通明。

吴哲向薛万彻汇报了一天的工作。

薛万彻问吴哲："你觉得李秀丽有可能杀死潘岩吗？"

"李秀丽不太可能亲手杀潘岩，从尸检来看凶手不像是女性。"

"有没有可能是雇凶杀人？"

"不排除这种可能，但是根据我的分析，李秀丽的嫌疑不大。"

"说说你的分析。"

"首先，李秀丽如果是幕后凶手，何必在潘岩死后还连续打电话，这不是引火烧身吗？其次，李秀丽有充分的不在场证明。据我调查，潘岩被杀时她正在蒂娜养生会所，与她在一起的最少有五六个人，都证实了李秀丽的活动与她自己所说的基本一致，不存在幕后操作的机会；最后，潘岩死后，虽然从法律上李秀丽是继承人，但是，她在潘氏地产内部没有根基，很难掌控大局，从这个角度来看，她在她亲儿子已经完全控制公司的情况下，完全没有必要杀死儿子，这样做是多此一举。所以，基本可以排除李秀丽作案的可能性。"

薛万彻仔细听着，频频点头，显然，他赞成吴哲的分析。他听完汇报，对吴哲说："既然排除了李秀丽作案的可能性，那么剩下嫌疑最大的就是潘高峰了。"

"不错。潘高峰其实是潘岩之死最大的获益者，而且他的亲信马站立出现在案发现场，综合各方面因素来看，潘高峰嫌疑最大。"

"所以你让我找潘高峰的司机马站立？"

"正是。"

薛万彻问："小吴，马站立人已经找到了，就在审讯室，你要见他吗？"

　　"马站立是目前唯一一个被证实出现在案发地的人，我必须见到他。"

　　薛万彻捻灭香烟，这个不到五十岁的老刑警已经头发半白，脸上的皱纹就像是一道道刻痕，记载着他从警几十年的风风雨雨。他眼中血丝清晰可见，显然是睡眠不足造成的，他揉了揉太阳穴，缓缓站起身，走到吴哲面前，拍了拍吴哲的肩膀："小吴，加把劲，我们不能输。"

　　吴哲微微昂了昂头："薛队，我们不会输的。"

　　"嗯，很好。你去吧。"

　　吴哲和韩景天来到审讯室，见到了马站立。

　　马站立并没有愤怒或惊慌，他很淡定，静静地坐在那儿，面无表情。

　　吴哲和韩景天隔着一张桌子坐到了马站立的对面。

　　吴哲已经忙碌了一天，此刻的他其实已经有些困乏，但是，当他见到马站立，所有的疲惫都一扫而空，他开门见山地问："马站立，你知道今天为什么把你叫到这里吗？"

　　"不知道。"

　　"不知道？我问你，2月15日下午六点，你在哪？"

　　"在我们公司新小区。"

"潘氏地产香樟园小区北区！"

"是。"

"你去那里做什么？"

"例行公事。"

"说具体点。"

"警官，你们审讯我，我总有知情权，我到底犯了什么罪？"马站立自始至终面无表情，语气平缓。

吴哲盯着马站立，说："你涉嫌谋杀潘岩。"

马站立一听，露出一丝惊讶，随即苦笑道："你们警察能不能靠谱点？凭什么说我谋杀了潘董？你们有证据吗？没证据别怪我出去告你们啊！"

韩景天在一旁怒道："马站立，你老实点，我们叫你来这里是有依据的。"

马站立冷笑道："警官，我来这里只是被请来的，不是被抓来的，你看，"说着，他挥了挥自由的双手，"你们没给我戴手铐，说明什么？说明你们只是怀疑，只是猜测，你们没有证据。"

韩景天指着马站立呵斥："你老实点。"

马站立说："我在潘氏地产就是个开车的，现在叫司机，过去叫马夫，说到底我就是个跑腿的，你们何必为难我呢？你们警察要我配合，没有问题，虽然我作为一个马夫什么都不知道，但我还是会尽量配合你们的，只不过，嘿嘿，你们总不能冤枉好人吧？"

吴哲淡然一笑，说："马站立，你尽管放心，我们警察不会冤枉一个好人，但也绝不会放走一个坏人。"

"嘿嘿，但愿如此吧。"

"马站立，15日下午六点你到香樟园小区北区做什么去了？"

马站立立刻答道："潘高峰主任让我去那里查看施工情况。"

"谁可以证明？"

马站立笑道："警官，你可以去调查，只要是潘主任有事要忙的话，都是我代替他去工地监工，而且我大多是下午六点左右去。"

吴哲点了点头："这个我们会去查证。我再问你，15日下午六点十分左右你在香樟园小区遇到了什么人？"

马站立竟然直言不讳地答道："我就知道你们会问这个问题，我承认，我在六点十分左右遇到了潘董。"

马站立回答得如此痛快，倒是有些出乎吴哲的意料。一旁的韩景天也愣了，他看了看吴哲。吴哲面无表情，继续问："你和他见面的时候是什么情况？请仔细描述一下。"

"当时我走到小区东北角，见到潘董也在，便主动上前和他打招呼，我俩聊了两句，他说他也是去查看工地的。"

"你们聊了什么？具体内容。"

"我问他这么晚了来做什么，他说来查看工地，我说潘主任有事，我替他来的，他说知道了。"

"然后呢？"

"然后？然后我就走了。"

"我问的是潘岩。"

"那我怎么知道？他当时没有走，可能就一直待在那儿。"

"他没有说他待在那干什么吗？这么晚了查看工地，似乎不太可能吧。"

马站立笑道："警官，潘董待在那里可以有很多原因，或许是看到有施工不合理的地方，或许是在思考问题，又或许是在仰望夜空，我怎么会知道他在那里做什么？"

吴哲目不转睛地盯着马站立："这个情况你为什么不早向我们反映？"

吴哲如电一般的双眼看得马站立很不舒服，他干咳一声，然后干笑道："警官，我怎么会知道你们需要这种消息？我还以为那只是一次普通的见面，这和潘董的死能扯上关系吗？再说了，你们一直也没有问我，我又何必和你们说呢？"

"你还有别的事情要交代吗？凡是和本案有关系的都可以说。"

"没有，知道的全告诉你们了。"

吴哲盯着马站立，停顿了片刻，忽然问："你做这些事，相信不会是你自己的主意，告诉我，谁是你的幕后主使？"

马站立愣了一下，随即答道："你们警察既然要定我的罪，我又有什么办法呢？我现在人在你们手里，你们想怎么说都行，嘿嘿，既然你们认定我是凶手，那就别磨磨叽叽，赶快定我的罪吧。"

"马站立，我们警察定人罪讲究的是证据，你杀了人我们不会放过你，你没杀人我们也不会冤枉你。你又何必主动承担杀人罪名呢？"吴哲说道。

"哼。"马站立一脸不屑。

"你还有别的没有交代吗？所有与案情有关的事情。"

"知道的我全说了，我不知道的你们替我说了，我还有什么可说的？"

吴哲盯着马站立，没有说话，片刻之后，做出了个让人意外的决定："好，没事了，你可以走了。"

韩景天急了，他不敢相信吴哲会做出这样的决定："让他走？"

吴哲没有理韩景天。

马站立冷哼一声，站起身，昂首走出了审讯室。

韩景天等马站立走后，急着问吴哲："学长，你怎么就这么把他放了？"

吴哲看了看韩景天："不然呢？不放又能怎样？"

吴哲这么一说，韩景天倒卡住了："可……可是他……"

"可是什么？"

"学长，你没看出来吗？他对答如流，明显是早有准备，他在说谎。"

"他说的虽然都是假话，但逻辑上说得通，我们没有证据证明他说的是假话。而且，我们也没有证据证明是他杀死了潘岩，不放怎么办？"

"他在潘岩临死前与死者接触了，这就是最大的证据啊。"韩景天仍将这个发现视为破案的关键。

吴哲略显无奈地摇了摇头："小韩，你仔细分析一下，马站立进入案发现场只有五秒，你觉得五秒钟可以勒死一个成年男子吗？"

韩景天愕然。他又问："学长，你认为马站立不可能杀死潘岩，那么你认为马站立进入案发地点又是为什么，总不是在散步吧。"

"当然不是散步，虽然我现在不敢肯定，但是据我估计，马站立在案发现场逗留是为了……"吴哲说着，从怀中掏出手机，在韩景天面前晃了晃，"这个。"

"手机？"

"没错！潘岩死后我们没有发现他的手机，而在监控录像中，他进入小区后是带着手机的。那么潘岩的手机去哪儿了？"

韩景天恍然大悟："要么被凶手拿走了，要么被马站立拿走了。"

"没错。这样就可以解释马站立进入案发地点的原因，同时也可以说明，潘岩的手机里一定有秘密，有人不希望它被知道。"

韩景天思考着，又问："学长，那是不是说，在马站立进入案发地点前，潘岩就已经被杀死了？"

吴哲点了点头："很有可能是这样。"

"那也就是说凶手其实另有其人？"

"是的，所以我才不能逮捕马站立。"吴哲又说，"不仅如此，还有一件事有点怪。你不觉得马站立有点要承担罪名的意思吗？这很反常。"

"学长，这又代表什么呢？"

吴哲摇了摇头："根据现在掌握的情况，我暂时无法肯定。"

韩景天狠狠地砸了砸桌子："他奶奶的，这个马站立真狡猾。"

"不，"吴哲意味深长地说道："狡猾的不是马站立，而是他幕后的那个人。"

"你是指……？"

吴哲快步走出审讯室，韩景天忙喊："学长，你去哪儿？等等我！"

< 二十二 >

吴哲来到薛万彻的办公室。

吴哲对薛万彻直截了当地说："薛队，我放了马站立。"

"我已经知道了。"

"薛队，我申请拘留潘高峰。"

薛万彻有些意外："怎么，你有证据了？"

"没有确凿证据，但是，我相信，我只要见到潘高峰，就有办法找到证据。"

"你这么有把握？"

"马站立的出现就足以证明潘高峰和马站立跟潘岩的死有密切关系。"

"那你为什么放了马站立？"

吴哲答道："薛队，马站立明显是做好了背黑锅的打算，我们如果只抓马站立，他就会把所有的事情都扛下来，那时候，潘高峰就会逍遥法外。我之所以放走马站立，就是要抓获幕后黑手。"

薛万彻抽着烟，沉吟半晌："拘留潘高峰，此事事关重大，你给我说说你的思路吧。"

"薛队，从目前掌握的情况和证据来看，潘岩的死很可能与潘高峰有关系，只是我还无法判断他究竟是如何杀死潘岩的，因此，我打算……"

"哦？"

吴哲凑到薛万彻耳畔，低声道出了自己的想法。

薛万彻听罢，笑道："你小子，我到底没有看错人，脑子活。好，就按你的思路办，一定要将案情查个水落石出。"但他话锋一转又说道："这件事我个人没有意见，但是我必须向局长汇报，得到命令后，你才能实施拘留。"

"是。"

17日凌晨，薛万彻拨通了局长的电话："局长，这么晚打扰您了，但是这件事很急，我必须现在向您汇报。"

"什么事？"

"潘岩被杀案有了新进展，负责此案的吴哲申请拘留潘氏地产副总裁潘高峰。"

"拘留潘高峰？为什么？"

"我们怀疑是他杀死了潘岩。"

"你们有确凿的证据？"

薛万彻有些踌躇，他看了吴哲一眼，答道："证据是有的，但不是确凿证据，不过，只要我们见到潘高峰，我们就有信心破案。"

"好，既然你想清楚了，我相信你。就按你说的办吧，我同意拘留潘高峰。"

挂断电话，薛万彻对吴哲说道："局长同意拘留潘高峰，我现在就命令各个交通口限制潘高峰的外出，你和小韩马上去找他，把他带到局里来。"

"是。"吴哲答应一声，接着又说："薛队，还有件事需要派人去查证。"

"什么事？"

"我需要潘高峰最近几天的行踪，包括用他名字订的火车票、飞机票、长途汽车票、船票等。"

"这个不难办，我会安排人查询的。你就放手去干吧。"

"是，薛队。"

命令下达一个小时后，吴哲和韩景天便找到了潘高峰的住处。

这是位于市区的一处高档别墅区，里面曲径通幽，潘高峰家是在最里面的一处豪宅。

在吴哲想象中，他认为捉住潘高峰并不容易，因为这个精明的商人或许早就躲了起来。然而，出乎吴哲的意料，潘高峰此时正在家睡觉，毫无要外逃的迹象。

吴哲和韩景天见到潘高峰时，潘高峰只穿着睡衣，他淡然请求换身衣服。吴哲答应了，静静地坐在客厅等候。

不多时，西装革履的潘高峰走出卧室，在他脸上看不出疲惫，似乎此时不是深夜，而是中午，看来此人精力过人。他家中虽不及李秀丽的住所奢华，但里面却古色古香，很有一番意境。与他办公室悬挂的大气磅礴的诗词和虎虎生威的猛虎不同，潘高峰家中客厅墙壁上悬挂的是手工刺绣的观音像，这让吴哲颇感意外。

潘高峰见到吴哲和韩景天，很有风度地请他们坐下，并泡了两杯浓茶。宾主落座后，潘高峰问："这么晚了，两位警官辛苦了，喝杯浓茶提提神吧。"

"谢谢。"吴哲喝了一口，真苦，但是精神却为之一振。

"吴警官，这么晚来肯定有事，有事就说吧。"

吴哲也不绕弯子，开门见山地说："潘总，我们是无事不登三宝殿，这么晚来找你是想请你跟我们回警局一趟。"

"为什么要去警局？"

"关于潘岩被杀案，我们需要你协助调查。"

潘高峰面无表情，说："协助是没有问题的，但是一定要去警局吗？"

"一定要去。"

潘高峰看吴哲态度坚决，一点面子不留，神情为之一变，冷哼一声说："哼！吴警官，你们警察做事也要有分寸，我生意忙，时间很紧，你们天天这么缠着我，我可奉陪不起啊。"

韩景天忍不住说："我们警察做事当然有分寸，去不去可由不得你。"

吴哲则说："潘总，对不起了，这是我们的职责，侦破凶案是头等大事，总比你赚钱重要吧，尤其死者是你的亲弟弟。"

潘高峰又是一声冷哼，说："哼，吴警官，你们这样把我带走，你们可是要承担责任的。"

"当然，我们警察从未推卸过责任。"

"吴警官，你很有勇气，我真有点佩服你了。"

吴哲却不以为然："潘总，我带你回警局只是询问一些情况，又不是要对你判刑，对于我们办案人员，这么做只是履行我们的职责，似乎不需要特殊的勇气吧？潘总你又何必佩服我呢？"

潘高峰不再说话，他主动站起身，说："好，我就跟你们走，我还真想体会一下进局子配合你们和在外面配合你们有什么不同。"

"只要你实话实说，就没什么不同。"

潘高峰面无表情，大大咧咧点燃一支烟，然后很倨傲地与吴哲和韩景天一起走了，只不过，他竟然走在了警察们的前面。

< 二十三 >

市局审讯室内，灯光明亮，时间是17日凌晨三点。

潘高峰稳稳地坐在椅子上。

吴哲和韩景天坐在他对面。

潘高峰年富力强，如日中天，天生的沉稳和长年的历练已经让他面对任何困境都足以处变不惊。

他自从进了公安局，就没有丝毫胆怯，相反，他甚至对警察还有些藐视。

然而，当他面对吴哲那犀利的双目时，这个笑傲商场的枭雄竟然有了一丝局促。吴哲的双眼似乎已经看穿了他，深藏不漏的他在这双眼前，如同赤身裸体。

吴哲就这样盯着潘高峰，一言不发。

倒是潘高峰先坐不住了，他干咳一声，问："吴警官，你们三更半夜把我带到这儿，不会就是为了盯着我看吧？"

吴哲仍旧不说话，双目如炬。

吴哲越是如此，潘高峰心里越是没底，他有些恼怒地叫道："你们这是在耽误我的时间，我要投诉你们，我要向你们的上级反映问题！"

吴哲仍旧是纹丝不动。

潘高峰腾地站起身，怒吼道："我抗议……"

他的屁股刚离开椅子，就被身后的警察摁住了："坐下。"

潘高峰终于意识到，自己现在不再是那个呼风唤雨、予取予求的潘高峰，而是一个接受公安机关审讯的犯罪嫌疑人。

潘高峰重重地坐下，一字一顿，狠狠地对吴哲说："吴警官，你问吧，我把我知道的都告诉你，这样你满意了吧？"

吴哲终于开口了，他问："潘高峰，潘氏地产副总裁，现年四十一岁，研究生学历，单身，无犯罪记录。是不是你？"

潘高峰冷笑道："哼！明知故问，是又怎样？"

"正面回答我。"

"好，我回答你，就是我，潘高峰。"

"2月15日下午六点到六点三十分，你在哪儿？"

"我在我的办公室。"

"证明人是谁？"

"我的秘书。"

"对不起，潘先生，你的秘书是你的心腹，他没有资格作为证人。还有别的证人吗？"

潘高峰强压怒火答道："下午六点多公司早就下班了，我是有公事需要处理才那么晚离开的，身边除了我的秘书哪还有人？"

"这么说的话你还是无法证明你当时在办公室。"吴哲又说，"那么我再问你，你的司机马站立在哪儿？"

"马站立？"潘高峰一脸的不解，"我当时让他去工地查看施工情况了。怎么，这事和他有什么关系？"

"那我再问你，马站立15日下午六点出现在潘氏地产北区的案发现场，你知道吗？"

"什么？我不懂你在说什么，案发现场？马站立去那儿做什么？"

"潘先生，我实话告诉你吧，根据监控录像显示，你的司机马站立出现的时间和地点正是潘岩遇害的时间和地点，这么说，你懂了吗？"

潘高峰一脸惊愕："什么？马站立出现在了我弟弟的被害现场？难道我弟弟是马站立杀死的？不会吧？！"

吴哲未置可否，只是盯着潘高峰。

潘高峰貌似十分懊恼地一拍大腿，狠狠地叹道："马站立这小子老早就对我弟弟有意见，可我没想到他竟然会做出这样的事情，是我失察用错了人啊。"

潘高峰一脸大义凛然："警察同志，如果是马站立杀死了我弟弟，那么我弟弟的死我有责任，我愿意配合公安机关抓获凶手，还我弟弟一个公道。"

吴哲摆了摆手，打断了潘高峰的慷慨陈词，说："潘先生，你先不要这么急着将罪过推给你的手下嘛，我还没有问完呢。"

"嗯，你问吧，关于马站立的情况，我知道的全都会说。"

"我要问的不是马站立，而是你！"吴哲猛然间抬高了语调。

"问我？我有什么？"潘高峰觉得自己面对这个年轻的警察有些穷于应付，他摸不清警察到底掌握了多少情况和证据。

吴哲问："潘先生，据说你和你弟弟潘岩最近因为潘氏地产转型的问题闹得很僵，有这回事吧？"

"嗯，不错，是有这个事情，不过我们也只是在战略上有些分歧，总的目标，我和弟弟的意见是一致的，我们都是为了将父亲留下的公司搞好。"

"是吗？"吴哲脸上尽是鄙夷，"可是据我们调查，你和潘岩早就貌合神离，你们因为公司继承权而结怨甚深，在私下里你没少说潘岩坏话，而且在几个月前的董事会上，你们甚至大吵了一架，之后你们两人再也没有联系。潘总，这种情况似乎不是你所说的目标一致啊，倒像是你死我活的利益斗争。"

潘高峰的脸立刻阴沉下来："警官，你的意思是什么？你不妨直说，不必绕弯子。"

吴哲一拍桌子，喝道："我没和你绕弯子，我告诉你，我们可以断定，潘岩的死和你有直接关系，我们已经掌握了大量的证据，否则我们也不会这么晚将你带到这里。"

"警官，你的意思是我指使马站立杀死了我弟弟？"

吴哲依旧未置可否，只是淡然地说道："潘岩死后，你最有可能继承潘氏地产，你是最大受益人，从动机来看，你的嫌疑最大啊。"

潘高峰外表仍很镇定，他用他特有的男中音冷冷地回答："吴警官，你这么说便是莫须有了，潘岩死后有资格继承潘氏地产的不止我一个，如果按照你的思路，李秀丽难道不是嫌疑人之一吗？"

"李秀丽，你的继母？"

"就是她。吴警官，我很想知道，你们为什么不对她进行调查，而只针对我？"

"你能想到的我们都已经做了，针对李秀丽的调查我们已经在对你调查之前进行了。"

潘高峰的脸上有几分嘲讽，说："你们不要被她的外表蒙蔽，你们也不要被她的母亲身份蒙蔽，你们看她穿着光鲜，气质高雅，其实她在外面养了好几个比她儿子还小的男人，你们知道吗？"

"潘高峰，你说的这些我们都已经知道了，我们既不会被任何人的外表蒙蔽，也不会被任何人的身份蒙蔽，我们只相信事实。"

潘高峰冷哼一声："哼，吴警官，看来今天你带我来这里是有备而来啊。"

"潘高峰，事到如今你就老实交代吧，我们的原则是坦白从宽，抗拒从严，这个你应该清楚。"

"我很清楚。"

"那就把你知道的情况交代清楚吧。"

"你容我想想，"潘高峰思考片刻，脸上略显无奈，叹了口气，说，"唉，我本打算替他开脱，但他做出这样的事我也帮不了他了。"

吴哲马上问："你这个他指的是谁？"

"还有谁？马站立啊。我就老实说吧，这一段时间我确实发现马站立有些不对劲，我和弟弟在董事会上争吵后，他还给我说过他要杀死我弟弟，替我出气，但是……"潘高峰提高音调强调道，"他给我说这些时我狠狠地教训了他，我当时以为他只是在向我表忠心，我真是万万没有想到他真会做出来啊。"

"潘高峰，"吴哲站起身，走到潘高峰身边，说，"杀死你弟弟的凶手并不是马站立。"

"啊？"潘高峰一愣，"不是他？不是他是谁？"

吴哲猛地绕到潘高峰面前，指着他怒喝道："杀死潘岩的凶手另有其人，而这个人是谁，恐怕只有你清楚！"

面对吴哲连珠炮一样的快攻，潘高峰竟依旧镇定，他哈哈大笑起来："哈哈哈，别开玩笑了警官，查找凶手是你们警察的责任，我怎么会知道谁杀死了我弟弟。"

吴哲重新坐回座位，缓缓说道："你先不要急着表态，要不要我将凶手的作案过程讲给你听，然后再告诉你谁是真凶？"

吴哲将"真凶"两个字加重了语气。

潘高峰淡然答道："洗耳恭听。"

"我可以先告诉你，我们怀疑这个案子的真凶就是你。你和潘岩因为利益冲突和家族矛盾，产生了极大的隔阂，你为了夺取潘氏地产的所有权，便不惜用暗杀的手段害死自己的弟弟，这就是你的作案动机。"

潘高峰依旧不动声色，他答道："哼，警官，你不怀疑李秀丽，反倒怀疑我，你有证据吗？没有证据，仅凭着猜想也能判刑吗？如果是这样，那干脆不要法院了。"

"你急什么，我的话还没有说完呢。"

"哼，那请接着说吧，我就当听故事。"

"而你作案的手段则是约潘岩到潘氏地产北区见面，时间就是15日下午六点到六点十分之间。你一定是说有一些重要的事情要和潘岩谈，所以潘岩便如约前往了，而你，"吴哲这时再次站起身，指着潘高峰说，"你就派马站立暗中监视潘岩，并与其合谋害死了你的亲弟弟。"

潘高峰仍旧是那句话："证据，警官，我说了多少遍，我要的是证据。"

吴哲不紧不慢地从档案袋中取出潘岩的手机通话记录，拿到潘高峰面前，说："证据就在潘岩的手机通话记录里，他在六点十分曾给你打电话，但是，你没有接，而且潘岩的手机事后被人拿走了。潘高峰，你知道这意味着什么吗？"

吴哲说着，走到潘高峰面前，目不转睛地盯着潘高峰。潘高峰看到电话记录，嘴角不由自主地抽搐了一下，与此同时，他双眸向左上方倾斜，这个神情转瞬即逝，但仍没有逃脱吴哲的眼睛。

吴哲是公安大学毕业的高才生，对犯罪心理学尤其精通，擅长攻破嫌疑人的心理防线。潘高峰的神态明显是先惊恐、后撒谎的神态。

潘高峰辩解道："这有什么，我们两兄弟打个电话有什么稀罕，可能性太多了。"

"哼，你真会狡辩，"吴哲高声说，"潘高峰，我告诉你，我们查了潘岩最近三个月的通话记录，你们俩从未联系过，他为什么偏偏要在临死前给你打电话？"

潘高峰想要辩驳，但是，他张着嘴竟然说不出话来。

吴哲乘胜追击，他快步走到审讯室角落，面对潘高峰开始模拟犯罪现场。

吴哲先指着自己脚下说："这里是潘岩死亡的地方。"

他又走到一旁说："这里是马站立出现的地方。"

然后，他回到刚才的地方，指着潘高峰说："而你，当时就躲在这附近的某处，潘岩到了你们约定的地点，却没有看到人，他便拨通了你的电话，而你没有接。这时，"吴哲做猛扑状，厉声喝道，"你突然出现，勒住潘岩的脖子。你身材高大强壮，而潘岩身高虽有一米八，但却瘦弱，你便用绳索将其勒死。"

吴哲又做勒人状。

"你将潘岩害死，随后，在一旁埋伏的马站立走了进来，他要么帮助你害死了潘岩，要么帮助你处理了一些善后的事情，潘岩的手机也是在这个时间被拿走了。"

潘高峰看着吴哲绘声绘色地重现案情，脸色铁青。他脑子有些混乱了，本来他并不担心自己会被判有罪，因为他早有准备。但是，吴哲将案情分析到这一步，而且矛头直指自己，自己有可能会被认定为杀人凶手。退一步说，即便吴哲不认为自己是凶手，其分析距离案件真相也已经不远了。

潘高峰咬了咬牙，他必须奋力反抗，他高声怒吼道："证据，你说得再多也没用，证据！难道仅凭你的推理就能定我有罪？不！你办不到！我要见我的律师，我要见律师！"

吴哲神情淡然，说道："潘高峰，见律师也没用，我劝你还是老实交代吧。"

"抗议，我抗议，你这是在诱供，我要见律师，这是我的权利！"潘高峰咆哮着。

吴哲思虑半晌，他也只有同意潘高峰的合理要求，说："好吧，我们同意你见律师，但是要在我们警方的监控下。"

"我要去厕所！"潘高峰又嚷嚷。

吴哲没有理由不同意。

但是，吴哲没有料到，正是潘高峰上厕所的这几分钟，为破案增加了巨大的难度。

两个小时后，审讯室内，潘高峰和一个精瘦的男子面对面坐着，那是他的律师。

精瘦律师问："潘主任，有什么吩咐？"

潘高峰没有回答，只是问："刘律师，带烟了吗？"

"带了。"刘律师拿出一盒香烟，要抽出烟递给潘高峰。

潘高峰却说道："把烟给我，我自己来。"

刘律师将烟盒递给潘高峰。

潘高峰接过烟盒，双手打开，很随意地抽出一支烟，点燃后深吸了一口，说："好烟，好烟。"

说罢，潘高峰将烟盒还给了刘律师。

刘律师心领神会地接过烟盒，他看到，就在潘高峰打开烟盒的时候，将什么东西顺势塞进了烟盒里面。

"潘主任，需要我做些什么？"

潘高峰慢慢悠悠地说："警察诬陷我，我要告他们。"

"请把详细结果告诉我，我准备材料。"

潘高峰添油加醋将方才的审问过程说了一遍，然后他又说："刘律师，这件事不但要走司法程序，而且要向他们的上级领导反映，你去告他们，告他们诽谤。"

"我明白了，我这就去办，潘主任，您在里面什么都别说，等我的消息。"

"我懂。"

两人又聊了一会儿，刘律师走了。

刘律师走出公安局，迫不及待地打开那烟盒，看到里面塞了一张卫生纸，他小心翼翼地打开，上面潦草地写着几行字。虽然潦草，但字迹清晰可见，是潘高峰亲笔所写。

刘律师看完纸条后，随即拿出手机，拨通了一个电话。

< 二十四 >

市局薛万彻办公室内，吴哲连夜向薛万彻汇报了审讯情况。

薛万彻听了审讯过程的简要汇报后，问："小吴，你的结论是什么？"

吴哲答道："薛队，通过对潘高峰的突击审讯，虽无确凿证据证明潘高峰是凶手，但至少我确信潘高峰在潘岩之死上撒了谎。"

"你这么有信心？"

"薛队，我与潘高峰接触了三次，第一次是在他的办公室，他对潘岩之死十分冷淡，虽然他用了冠冕堂皇的借口掩饰他的态度，但这明显有悖常理；第二次是在他家中，说实话，我本以为捉拿潘高峰会不容易，我还担心他会潜逃，但是他却镇定自若地在家休息，这又反常，不仅不能证明他没有问题，相反，我觉得这恰恰说明潘高峰有恃无恐；第三次，我刚才审问他时，用了各种角度和各种心理战术，虽然潘高峰回答得基本圆满，但他的语气、他的表情、他前后态度的变化依旧漏洞百出。我据此三点得出结论，潘高峰肯定有大问题，只不过……"

未待吴哲说完，坐在一旁的韩景天插话道："薛队，我看基本可以定案了。从调查结果来看，首先潘高峰作案动机明显，即争夺遗产。其次潘高峰符合所有作案条件，潘岩临死前手机上有他的电话记录，按照学长分析，这就是潘高峰约潘岩的证据，仔细想想，在那种天气，那种地方，除了潘高峰，谁能约潘岩去那里呢？再有，潘高峰身高一米八三，体格健壮，也符合学长对凶手作案条件的分析。他的心腹马站立出现在现场，肯定是为了协助他杀死潘岩，这又是一条有力证据。最后，学长也分析了潘高峰前后态度不一，有明显的说谎迹象，这就是做贼心虚啊。所以，薛队，我觉得基本可以结案了。"

薛万彻默不作声，将目光投向了吴哲。

吴哲好像没有听到韩景天的话，他始终若有所思，沉默不语。

韩景天用胳膊肘碰了一下吴哲："学长，你说我说得对不？"

薛万彻也问："小吴，说说你的想法。"

吴哲这才说："薛队，我不认为我们可以就此断定潘高峰就是凶手。"

韩景天愣了："喂，学长，潘高峰是最大嫌疑人可是你定的啊，你刚才自己也分析了他这么多不利情况，他不是凶手谁是凶手？"

吴哲摇了摇头，说："潘高峰最有可能是凶手，但是这不代表他就是凶手。你想一想，潘高峰若想杀潘岩，何不命马站立或别的人去杀，他何必亲自动手？"

"或许他是为了让潘岩放松警惕。"韩景天说。

"若是潘高峰在现场，潘岩又何必拨打他的电话？"

"或许是当时潘高峰躲了起来，潘岩拨打他的电话后，他现身了，然后突然袭击潘岩。"

"小韩，所有这些都是你的猜测，证据呢？"

"学长，我这是合理的猜测啊。"

吴哲又摇了摇头："你的分析我都考虑到了，但是我否定了这个思路，因为按照这个思路，有一个疑问无法解答。"

"什么疑问？"

"潘高峰是何时，用何种方式进入了香樟园小区？监控录像我们都看了，没有发现他进去，这一点如何解答？"

"这……"韩景天顿时语塞。

"潘高峰杀潘岩，动机明显，审问情况说明他也确实在撒谎，但是，仅依靠这些，李秀丽同样有犯罪可能，不是吗？我们需要证据，确凿的证据。"吴哲言简意赅地总结了自己的意见。

薛万彻重重地吸了口气，咬了咬牙，问吴哲："你能破案吗？"

吴哲看着薛万彻，犹豫了一下，答道："我们控制住潘高峰，就会有办法。薛队，我现在最关心的是一个东西，这个东西现在足以改变整个案件的侦查情况。"

薛万彻双目如炬，这位比吴哲大了整整一代人的老刑警此刻用冷静的口吻说出了一个词，这个词与吴哲心中所想的那个东西完全吻合："血检报告。"

"一点不错，薛队，血样检验报告一旦出来，我们就可以凭此对凶手定罪，在铁证面前，凶手只有如实交代，作案手法也就迎刃而解了。"

"是啊，从目前的案情来看，潘岩口中的血极有可能是凶手的血。假如这个血被证明是潘高峰的血，我们就基本可以定案了。即便不是潘高峰的血，我们也能锁定凶手身份，实施抓捕。"

韩景天恍然大悟："哦，原来如此，看来一切都要等科学验证的结果啊。"

薛万彻看了一眼时间，17日早晨六点，他对吴哲和韩景天说："血检最快二十四小时出结果，血样是昨天早晨十点多开始检验的，最快也要等到今天早上十点才能出结果，你们俩已经一天一夜没有休息了，抓紧时间去睡一会儿，如果我的判断没有错，一旦血检报告出来，你们会更忙的。"

吴哲和韩景天经过一天的奔波早已疲惫，两人站起身正要离开，忽然，薛万彻的手机响了，他看了一眼来电号码，叫住了吴哲："先等一下。"

薛万彻接通了电话，问："调查结果怎么样？嗯……嗯嗯……好，我知道了。"

挂断电话，薛万彻转向吴哲，说："你要的潘高峰的行程记录都查出来了，他最近几天都没有出行的记录，除了在2月12日下午三点订了一张14日晚上七点的飞机票，是飞广州的，但是，他没有登机，机票作废了。"

吴哲对这个消息感到有些不解，原本稍稍放松的神经再次紧绷，他眉头紧锁："太反常了，为什么订了飞机票却不登机呢？"

薛万彻也说："小吴，线索很凌乱，不是一时片刻能够串联起来的，你还是先抓紧时间休息吧。"

吴哲想了想，眼下也只好如此了。

吴哲和韩景天只是在自己的办公室沙发上打了个盹。

韩景天累得一头栽在沙发上，一分钟不到便睡着了。

吴哲却久久难以入眠，刚才薛万彻的那个电话让他的思路转向了另一个方向，一个他一直在寻找但始终无法确认的方向。他此刻就已经隐约感觉到，或许这张作废的飞机票会是指引自己找到破案方向的契机。

吴哲整理着一天来调查的结果：15日下午六点八分潘岩走进案发现场，稍后马站立出现在该处，但是马站立不具备杀人可能，凶手难以确认。潘岩之死最大的获益人是李秀丽和潘高峰，其中李秀丽的嫌疑已经基本可以排除，剩下嫌疑最大的就是潘高峰。从审讯过程来看，潘高峰也确实隐藏了很多东西，但是，给潘高峰定案同样困难重重，不但证据不足，现在看来，即便是在逻辑上也有无法讲通的地方。比如，潘高峰是如何在躲开监控录像的情况下进入香樟园小区实施作案的？他为什么订了飞机票却没有登机？所有人都知道马站立是潘高峰的心腹，马站立的出现只能加大他的嫌疑，如果马站立是他指使的，他又为何要冒险让马站立亲自去现场？

所有的这些问题在吴哲脑海中纠缠，他的大脑就像一台高速运转的计算机，一旦转动起来就无法停止。

刑事案件的侦破，尤其是高智商犯罪的侦破，就像是走迷宫，又像是做一道高等数学题，看似山重水复疑无路，却往往在绝处柳暗花明又一村。有的人将这一现象解释为刑侦人员的天赋所致，有的人将其解释为偶然因素使然，有的人则干脆认为这是某种"天启"。其实，这种现象的频繁出现恰恰是因为罪犯自己。所谓"完美犯罪"，在现实中是不存在的，智商再高的犯罪分子也只能利用现有条件创造机会。如果说事实的真相是在一张白纸上画上一条线段，那么"完美犯罪"就是罪犯巧妙地将这张纸折叠了，使线段变成了三角形、圆形或其他形状罢了，而真相永远只是一条线段。犯罪分子要掩饰真相，就要用尽一切办法掩饰自己折纸的这一动作，但是，他又怎么可能掩饰呢？换言之，犯罪分子掩饰自己犯罪行为的同时，就已经留下了漏洞。

六点三十分，吴哲刚有些睡意，却被一阵急促的敲门声叫醒了，门外紧接着传来催促声："小吴，小韩，开门，快！"

吴哲一听就知道，是薛万彻的声音，他从沙发上一骨碌坐起来，忙去开门。他隐约感觉到，薛队长这个时候来必然有重大的事情。

薛万彻进门后，脸色很不好看。韩景天兀自睡眼惺忪，不明所以。

吴哲发现薛万彻的脸色少见的凝重，忙问："薛队，什么事？"

薛万彻皱着眉看着韩景天，有些生气地叫道："韩景天，快振作一下，有新情况了。"

韩景天这才回过神，揉了揉眼睛问："咋了？"

薛万彻没有回答，转身就往门外走，只说了句："你们赶紧跟我来。"

市局过道内，是薛万彻、吴哲和韩景天三人急促的脚步声。

薛万彻边走边对吴哲说："有人投案自首，说自己是杀死潘岩的凶手。"

"啊？什么？"吴哲和韩景天同时愣了，韩景天的惊叫声几乎要把市局楼顶顶起来。

投案自首？怎么回事？

这种变局太过突兀，任凭是谁也会感到意外。

薛万彻又说："是的，你们没有听错，就在刚才，有一男子来市局投案自首。"

吴哲就像是一头看到猎物的豹子，用不达目的誓不罢休的口吻追问："薛队，他现在人呢？"

"就在审讯室，我带你们来就是去见他的。"

吴哲加快了脚步，几乎要冲到薛万彻身前了。

审讯室的门开着，两个全副武装的刑警守着嫌疑犯，嫌疑犯背对大门。

吴哲看到，明亮的审讯室里面坐着一个男子，双手在前并着，应该是被戴上了手铐，这个人就是那个投案自首的人。

忽然，吴哲发现这个背影好熟悉。他缓缓走到那嫌疑犯面前，当他看到那人的面庞时，不禁愣在原地。

吴哲整个人僵住了，脑子一片空白。

面前这个戴着手铐的嫌疑犯不是别人，竟然是自己的同学——陈升。

< 二十五 >

陈升显得很反常，高大健壮的他如今全身微微地颤抖着，似乎是一只受到惊吓的小鸟，脸上尽是惶恐。

吴哲一时竟然不知道该说些什么，他问陈升："陈升？是你吗？你怎么会在这儿？"

陈升脸色苍白，眼神有些呆滞，他抬起头，傻傻地看了看吴哲，然后怯生生地重复着一句话："是我杀了潘岩，是我杀了潘

岩，是我杀了潘岩……"

吴哲愣住了。

薛万彻跟在吴哲身边，他问："吴哲，你认识这个人？"

吴哲有些出神，回答说："他是我的高中同学，现在在潘氏地产做设计员。"

薛万彻看吴哲情绪有些失控，他将吴哲叫到角落里，低声说："吴哲，这个人现在是投案自首的嫌疑犯，你不要感情用事，要冷静，明白吗？"

吴哲被薛万彻提醒，他平复了一下心情，答道："我知道了。"

吴哲和韩景天坐到陈升对面。薛万彻将审讯的工作交给了吴哲，他自己只是旁听。

吴哲看着陈升噤若寒蝉的样子，心中很不舒服。他向薛万彻要了一支香烟，替陈升点燃，放到他口中，然后问："姓名，年龄。"

陈升抽着烟，仍旧是愣愣的，只是重复着那句话："是我杀了潘岩，是我杀了潘岩。"

吴哲看了看带陈升来的两个警察，问："他刚才都说了什么、做了什么？"

　　两人答道："这个人自始至终就这一句话，我们也问了他是谁，在哪儿住，但他什么都不说，就只是重复这一句话。"

　　吴哲走到陈升身边，低声对他说："老同学，你不要慌，我是吴哲啊，你有什么事情都告诉我，好吗？"

　　陈升这才缓缓抬起头，他看吴哲半天，似乎恢复了一些神志，缓缓开口说："吴哲，是你。我……我杀了潘岩。"

　　吴哲忙问："你为什么杀潘岩？"

　　"为什么？为什么？因为……因为……因为我……我看他不顺眼。"陈升说话时神不守舍，好像精神不正常了一样，有点胡言乱语的意思。

　　吴哲皱了皱眉头："你在哪儿，什么时间，用什么方式杀了他？"

　　陈升回答得像机器人，很生硬："角落里，晚上，勒死的。"

　　陈升怔怔地看了看吴哲，眼神又开始涣散，他嘟囔着："是我杀了潘岩，是我杀了潘岩，是我杀了潘岩……"

　　吴哲一时没了主意，回头望向薛万彻，薛万彻抽着烟，死死地盯着陈升，一言不发。

　　审讯室陷入了沉默。

　　薛万彻一直在观察陈升。吴哲则不厌其烦地询问。

韩景天做记录，来来回回只有那几句话，他早就不耐烦了。

审讯持续了一个多小时，再无更多收获。最后，薛万彻站起身，命人将陈升带去看守所羁押，又将吴哲和韩景天叫到审讯室外。

薛万彻问吴哲："你的这个同学平时也这样吗？"

吴哲心情极度郁闷，他陷入了巨大的矛盾之中，陈升的出现不但令案情分析工作逆转，还让吴哲面临感情上的巨大挑战。前几天还好好的铁哥们儿，转眼间成了杀人犯？他不愿承认。他方才一直努力试图让陈升恢复冷静，说出自己投案自首的真相，他不相信陈升会是杀人凶手。吴哲回答说："不，他平时是一个聪明健康的人，根本不是这样。"

"看他的样子好像受到了惊吓。"

"是，他很反常。"

"凭你的了解，你的这个同学有杀人动机吗？"

吴哲立刻说："不，我了解他，他不会杀人。"

薛万彻看着吴哲，一言不发。

在一片安静中，韩景天忽然说话了："时间、地点、方式都对，薛队，我看可以结案了。"

薛万彻仍旧一言不发，只是看着吴哲。

吴哲瞪了一眼韩景天，问："动机呢？难道就因为看潘岩不顺眼便杀了他？我不能接受这种动机。"

韩景天却说："学长，冲动杀人本就普遍存在，也许这个陈升就是因为看潘岩不顺眼，临时起意杀了他呢？假如不是他杀了潘岩，他作为一个有完全行为能力的成年人为什么会主动来投案自首？"

"根据我的猜测，有可能是被人胁迫或利诱，否则以陈升的为人，我无法想象他是杀人凶手。"

"猜测？"韩景天对于吴哲说出这个字眼感到极度意外，说，"学长，难道连你破案也用猜测这种东西了吗？"

"我的猜测是有根据的。"

"根据什么？"

"根据我对他的了解。"

"但是学长，我在警校学到的常识告诉我，我们不应该对一个投案自首的嫌疑人如此轻视，尤其这个嫌疑人很可能是一个杀人凶手。"

吴哲陡然间怒道："不可能！我比你了解他！"

薛万彻终于发话了，他用平缓但不可抗拒的语气喝道："好了，你们都别说了。"

看队长说话，吴哲和韩景天都不再吭声了。

薛万彻拍了拍吴哲的肩膀，说："小吴，我理解你现在的心情，好朋友突然成了嫌疑犯，你心里不好受。可是你首先是一个警察，破案的时候不能有丝毫个人感情掺杂在内，这一点你应该清楚。"

吴哲当然知道这个道理，只是人心都是肉长的，怎能面对挚友可能突然入狱而熟视无睹呢？他长叹一声，说："薛队，是我感情用事了，我以后会注意的。"

"嗯，你冷静一点，我去向局长汇报这里的情况，你仔细考虑一下侦破的方向。"

"是。"

薛万彻走后，吴哲和韩景天互相看了看，彼此都有些尴尬。

最后还是吴哲主动对韩景天说："小韩，刚才的事请你不要介意，我和陈升是很好的朋友，所以……"

韩景天歪着头龇了一下牙，示意无所谓。

吴哲叹了口气，又说："我上学时争强好胜，凡事都要和人争个高下，因此我几乎没有朋友，除了陈升。他为人很大度，也很谦和，而且他很聪明，我和他能谈得来。高中三年，他是唯一和我交心的人，那种纯真的同窗之谊一生也不会再有。上大学，尤其是工作以后，我回想起自己少年时与人争强的很多事情，觉得很幼稚，也很可笑，也正是因此，我越发怀念陈升对我的包容，也更加怀念我们的友谊。虽然我们有十一年没有见面，但是，当我在几个月前再次在这座城市遇到他的时候，那种感觉，呵呵，就像是分别了十几天的兄弟见了面。陈升现在过得不是很如意，我一直想要帮帮他，可是……可是谁能想到他却很可能是杀人凶手？小韩，你现在明白了吗？"

韩景天听罢吴哲的诉说，终于明白了这位以冷静著称的学长如此失态的原因了，他认真地回答说："学长，我现在理解了。其实，刚才我也有不对的地方，我不该在没有证据的情况下胡乱猜测。"

两人相视一笑，再也不提此事。

韩景天问吴哲："学长，案子到了这一步，我们该怎么办？"

吴哲考虑了很久，他的大脑快速地思索着陈升的蛛丝马迹，然而，原本心思敏捷的他这时却屡屡被头脑中陈升的样貌打断思路，他努力地整理思路，好不容易才将错综复杂的案情归纳起来：

如果是陈升杀了潘岩，他为什么要杀潘岩呢？香樟园小区的监控录像中除了马站立以外就再也没有可疑的人了，陈升又是如何作案的？既然他今天来投案自首，他昨天为什么不来？他又为什么会傻兮兮的，如此反常？

如果陈升没有杀潘岩，那他为什么要主动投案自首，说自己杀了人呢？而且他交代的作案的时间地点和杀人手法与案情都吻合，这又是为什么呢？

陈升看起来已经神志不清了，想从他口中得到有用的信息似乎不可能，要想查清事实真相，现在只有另辟蹊径。

怎么办呢？

十分钟后。

韩景天又问："学长，我们从哪调查呢？"

吴哲此时已经有了主意："现在潘高峰和陈升都有嫌疑，我们两方面都不能放松。尤其是陈升，我们对他的情况了解太少。"

"我们下一步怎么办？"

"我知道一个人，她一定知道陈升的消息，我们去找她。"

"谁？"

"他的女朋友，夏莹莹。"

幽暗的看守所中，陈升蜷缩在角落中，身体兀自颤抖着。

与他同房间的只有一个人，是一个戴着眼镜的中年男子，身材略胖。男子看着陈升，主动打招呼："兄弟，你犯了什么事？"

陈升战战兢兢地瞅了男子一眼，然后慌忙避开，答道：

"我……我是凶手,我是凶手。"

"啊?你杀人了?"男子很意外。即使在看守所中,杀人犯也不多见。

陈升没有回答那男子,仍是傻傻地机械地重复着那句话:"我是凶手……我是凶手……"

男子叹息道:"这么棒的小伙子,可惜傻了。"

< 二十六 >

2月17日上午九点。

吴哲和韩景天来到潘氏地产医务室见到夏莹莹。

医务室只有她一人。

再次见到夏莹莹,吴哲发现,她依旧衣着光鲜,打扮得很时尚,脸上有了肉,像是微微的浮肿,还有一些斑点长在了她原本白皙的脸上。这些应该是怀孕的表现。

夏莹莹见到吴哲,神情很冷淡,她冷冷地问:"吴哲,有什么事吗?"

吴哲面对这个昔日暗恋的女孩，心中竟然泛起了一丝厌恶。吴哲原本以为自己对"小三"见怪不怪，但此时此地他才明白，他其实挺鄙视这种女孩的。他不愿和夏莹莹说太多，只说："我们现在要搜查一切和潘岩被杀案有关的地方，包括这个医务室。"

"请便。"夏莹莹很淡定，就像是知道警察要来一样，她站在一边，任由吴哲他们搜查。

吴哲仔细地翻看着医务室的东西，这是他破案时候的一个习惯。一切与案件有关的事物，都有可能成为破案的关键。医务室里面的东西比较多，除了医疗物品，就是成堆的记录。

潘氏地产是大公司，像这样拥有自己医务室的企业虽然不少，但是这样的大型医务室却不多。一间一百多平方米的大房间，摆满了各类医用设备，不知道的人还以为这里是哪家医院的检查室。

吴哲看到医务室办公桌上堆了厚厚的一摞档案，标签显示，这些记录是按照检查的时间顺序排放的。吴哲随手拿起放在最上面的记录，那是潘氏地产女员工的孕期检查表，时间是昨天，他看了几眼，放在一旁。然后，他又拿出第二层的记录，记录的标题是《潘氏地产全体员工体检记录表》，表格里面写着密密麻麻的数字和字母，时间是四天前。吴哲看了许久，他不懂那些数字和字母的含义，自然也就看不出有什么可疑之处。他将体检记录表也丢在一边。

一无所获。

这时，吴哲看了看一直在角落里沉默的夏莹莹，这个女人低头摆弄着手机，一言不发。吴哲起初是冷静的，他问夏莹莹："对于潘岩被杀案你有什么需要反映的问题吗？"

夏莹莹依旧低着头，淡淡地答道："没有。"

"那么关于你男朋友陈升的消息呢？他最近有什么异常的举动吗？"

"不知道。"

吴哲看夏莹莹冷漠的态度，气不打一处来，便问她："夏莹莹，你知道我今天来问你陈升的事情是为什么吗？"

"知道，因为陈升去投案自首了。他去之前已经告诉我了。"回答得如此轻描淡写。

"你不闻不问吗？"

夏莹莹冰冷地答道："我又能怎么问？这种事情我问得了吗？"

夏莹莹彻底激怒了吴哲，吴哲提高音调问："那可是与你青梅竹马、朝夕相处的男人，如果他的罪名成立，可能会被判死刑，你竟能如此漠不关心？"

夏莹莹的脸庞一阵抽搐，她的手在颤抖。

但随即，她又镇定下来，幽幽地说："人总会死的，这是没有办法的事情，都是注定的，谁也改变不了。"

吴哲气愤到了极点，他险些冲过去扇夏莹莹两巴掌，他无法想象眼前的女孩在不久前还跟陈升你侬我侬。但是，他强行克制自己，喘了口粗气，对夏莹莹说："夏莹莹，你知道吗？陈升若死了，你这辈子就再也见不到他了。"

"啪嗒"一声，夏莹莹手中的手机滑落在地，她怔怔地站在那里，一言不发。吴哲看到，两行泪水从她白皙的面庞滑落，她紧紧咬住自己的嘴唇，殷红的口红就像是血。

忽然，夏莹莹问："吴哲，我问你件事。"

"什么事？"

"潘高峰是不是也牵扯到案子里了？"

吴哲皱了皱眉，冷冷地问："潘高峰和你是什么关系？你这么关心他？"

"没什么，我就是随口问问。"

吴哲盯着夏莹莹，又问："只是随口问问吗？真的是随口问问吗？夏莹莹，我希望你能把你知道的事情告诉我，这样陈升也就能早点出来了。"

没想到，夏莹莹却对吴哲说："吴哲，我只想告诉你，杀死潘岩的人不是潘高峰，你们无权判他的罪。"

这句话令吴哲和韩景天同时心中一颤。

吴哲猛地上前两步，急问道："你说这话是什么意思？你到底知道些什么？"

夏莹莹神情有些惶恐，她努力地掩饰，说："我能知道什么？这是我的直觉，一个女人的直觉。"

吴哲盯着夏莹莹，她眼神闪烁不定。看到吴哲盯着自己，她急忙避开了他的眼神。一眼就能看穿，她在说谎，她一定知道内情。"夏莹莹，你对陈升难道没有一点感情吗？"

"吴哲，你什么意思？"

"我的意思你应该清楚。你背叛了他。"

夏莹莹脸上一红，忙低下头，但随即，她又镇定下来，坦然地说："是，我是和有钱人在一起了，我这样回答你满意了吗？"

夏莹莹的"直率"令吴哲始料未及，他看着夏莹莹，这还是那个纯真善良的女孩吗？这个世界疯了！

"你是和潘高峰在一起吗？"这是吴哲最直观的判断。

吴哲的问题再次令夏莹莹陷入了尴尬，但她没有承认，她说："不，不是潘高峰，是别人。"

"谁？"

"我有权利不告诉你。"

"是，你有隐私权，但是我要告诉你，你说的话会左右陈升的生死，你懂吗？"

提及陈升，夏莹莹再次低下了头。

吴哲继续说："夏莹莹，我不管你和谁在一起，我只想你告诉我和潘岩被杀案有关的事情，这样我才能救陈升。我想你也不希望眼睁睁看着他冤死吧？"

夏莹莹听到这里，她看了看吴哲，眼中满是幽怨地问："吴哲，你怎么知道陈升是冤枉的？"

"他不可能杀人！"

夏莹莹咬了咬嘴唇，不再说话了，她将头转向一旁。

"能救陈升的只有你，快告诉我，陈升15日傍晚在哪儿？是不是和你在一起？"其实这才是吴哲最希望知道的事情。

夏莹莹神情有些恍惚，她似乎没有听到吴哲的话，默不作声。

吴哲有些急了，提高声音问："夏莹莹，你倒是说话啊！"

良久，夏莹莹才决然地转过来，坚决地说："对不起吴哲，我没有什么要告诉你的，你走吧！"

吴哲愣了，他料到了夏莹莹已经出轨，但没有料到她会如此绝情，置陈升的生死于不顾。

吴哲盯着夏莹莹足有一分钟，夏莹莹有些生气，叫道："你们可以走了，我也要下班了，我怀孕了，身体不舒服。"

吴哲没有再说什么，带着韩景天离开了。

韩景天一路上愤愤不平："学长，这个夏莹莹怎么这么不知羞耻呢？我作为一个外人都看不下去了。"

"好了，别说了。"吴哲打断了他。

"这种女人真可恶。"韩景天兀自嘀咕着。

吴哲没有接话，心中却暗暗叹息。

韩景天问："学长，下面咱们怎么办？"

吴哲的心绪很乱，夏莹莹拒绝为陈升做证，这就无法证明陈升无罪。夏莹莹似乎知道关于潘高峰的事情，但她也拒绝回答，这样一来，所有和案子相关的线索几乎都断了。

吴哲看了看手表，时间是九点四十分，他说："案子到了这一步，只有血检报告出来，才有可能判断谁是凶手。从时间上看，我估计用不了多久，就会有结果了。咱俩到现在都没吃早饭，走，吃饭去。"

< 二十七 >

看守所中。

陈升缓缓睁开眼睛，他的眼神不再迷乱，神情也不再惶恐，他站起身，掸了掸身上的尘土。

他用正常的语调问那位与他同牢房的中年男子："老兄，我进来有两三个小时了吧？"

中年男子对于陈升忽然间恢复理智有些意外，他怔了一下，然后笑道："进来的时候身上的手机手表都被收走了，连腰带都没有，谁知道时间呢？"

陈升一屁股坐在椅子上，他肯定地自言自语道："没关系，我知道的，是三个小时了，没错。"

"咦？看来你对时间很在意？"

陈升未置可否。

"嘿嘿，老弟啊，进来了别想太多，反正已经这样了，怕也没用。"中年男子安慰他。

"怕？呵呵，是啊，开始有点怕，现在我可不怕了。"

"老弟，你刚才说你是凶手，难道你真的杀人了？"中年男子后半句话加重了疑问的语气。

陈升没有正面回答他，而是反问道："老兄，你是怎么进来的啊？"

中年男子不是一个执拗的人，他听陈升反问，便不再追问陈升是不是杀人犯，转而很爽快地谈论起自己，他说："你问我？嘿嘿，不瞒老弟你说，我揍了我老婆一顿，我老婆报警了，所以我就来这里了，哈哈。"

陈升皱了皱眉头，他对打老婆的男人没有什么好感。

中年男子似乎看出了陈升的心思："你知道我为什么揍我老婆吗？"

陈升没有出声，只是静静地听着。

中年男子接着说道："因为她和我闹分手，要和我离婚，非要把我名下的房子要走，我当然不同意，结果就吵了起来。这娘儿们对我又撕又咬，我一恼就揍了她一顿。好像把腿打断了，估计还要蹲监狱，嘿，真他妈倒霉，娶了这么个女人。"

"分手""房子"，这些词汇令陈升觉得这个男人的故事离自己一点也不遥远，他又仔细看了看中年男子，不似无赖之人，便问："老兄，你和你老婆为啥要离婚？"

"为啥？嘿嘿，原因很多，简单来说呢，就是脾气不和，价值观不同，对爱情和婚姻的理解也不同，另外，她还觉得我没本事，挣的钱少。"

陈升心想：大概后者才是关键吧？

"老兄，既然你俩这么不合适，当初为啥会在一起呢？"

"假如人在做错事之前能够知道这是错事，他还会犯错吗？婚姻就是这样。"中年男子用形而上的方式总结一切错误婚姻形成的原因，说罢，他又问陈升，"老弟，你还没结婚吧？"

陈升摇了摇头："没有。不过我的女朋友和我在一起与夫妻没有区别。我们一定会结婚的。"

"嘿嘿，等你结了婚你才能明白我的话。"

"老兄，我想问你件事。"中年男子的遭遇引起了陈升的些许兴趣。

"请问。"

"你和你老婆一起生活多久了？"

"十五年。"

"十五年？"

"对。"

"十五年的婚姻说掰就掰，你就不惋惜？"

中年男子苦笑一声，说道："时代变了，人也变了，说不惋惜是不可能的，但是，怎么说呢，强扭的瓜不甜，有时候离了对大家都是好事。"

陈升听着中年男子对婚姻生活的陈述，不由得想到自己。

"不过，"中年男子忽然用重重的语气表达自己的愤怒，"这娘儿们想离婚后拿走我的房子，做梦！这房子是我奋斗一生的结果，是我一个字一个字码出来的，谁也别想拿走！"

陈升更加明白了中年男子打老婆的原因——房子。

"老兄，你是做什么的？"陈升问。

"我是作家。"

"作家？"陈升对于这个职业感到意外，同时他也明白了所谓的"一个字一个字码出来"的含义。

"对，作家，出过十几本书。"

"十几本书？了不起啊。"

"呵呵，不过都不是畅销书。"

"你写的是什么书？"

"历史小说。"

"历史？真巧，我特别喜欢历史。"

"真的吗？"中年男子话锋一转，问陈升，"老弟，别总聊我，聊聊你吧，你是怎么进来的？"

听到对方问自己，陈升沉默了片刻，然后回答说："我进来是因为我或许杀了人。"

"或许杀了人？"中年男子用不解的眼神看着陈升。

"是的，或许。"

"你这个人真有意思，杀了就是杀了，没杀就是没杀，什么叫或许？"

陈升抬起头望了望天花板，若有所思，他答非所问地说："老兄，据我所知历史小说现在销量一般，你不妨写悬疑推理小说试试。"

中年男子对陈升忽然冒出来的这句话毫无准备，他顿了一下，说："这个……推理小说现在确实比较火，可问题是我没写过啊。"

"呵呵，没关系，我可以提供给你一个好的素材，相信你把这个故事写成小说的话一定会受欢迎的。"

"哦？你不妨说说。"

"嗯，说说，可是，从哪说起呢？对，就从那个年轻人的少年时代说起吧。"陈升组织了一下语言，然后用类似于演讲的方式讲述道，"我认识一个男人，他与我同龄，他很聪明，也很努力，上学时他就是三好学生、优秀班干部。他家境贫寒，但他从未自暴自弃，那时候他有一个梦想，他梦想有朝一日能够做一个对社会有贡献的人。"

这回换成中年男子静静地听着。

"那时候我这个朋友还是个孩子，男孩子有很多梦想，他梦想做科学家，做设计师，做一个杰出的人。那个时候，他的梦想是如此真切，他的心是如此炽热，即便他的家庭并不富裕，可他仍能感觉到自己的存在，他能感觉到他的希望是真实可期的。

"男孩子以全县第一的成绩考上了重点高中，即便他的父母在那个时候双双下岗，他穷得甚至吃一顿肉都是奢望，即便他能清楚地感觉到他周围的同学开始以一种异样的眼光看待他，将他看作一个高智商的穷光蛋，觉得他只是在凭着一股蛮力做毫无意义的奋斗，他仍未放弃希望，他还是很满足，他有了一个漂亮的女朋友，还有一个可以交心的铁哥们儿，这两个人是他生命中最重要的两个人。尤其是他的女朋友，简直就是他的第二生命。男孩子始终固执地认为自己的梦想会伴随着自己考上名牌大学而顺利实现。道路是曲折的，前途是光明的。"

"这个男孩子多半会失望。"中年男子听到这里，忽然冒出来这么一句。

"咦？"陈升有些意外，问，"你怎么知道他会失望？"

"因为我是过来人啊。"

"过来人？"

"我也年轻过，也曾有过梦想。你看起来有三十岁吧，你说你朋友和你同龄，你们这个年纪的人，现实与理想激烈碰撞，难免会有挫败感。其实，如他这种年轻人也不多，只能说你的这个朋友太执着了，可是很遗憾，他的执着反而会让他更加难堪，假如他不能在他的大学时代扭转他的认识，我断定他步入社会以后会很受伤。"中年男子说着，用含有深意的眼光看着陈升。

陈升低着头，自言自语地重复着那个男人方才的话："现实与理想激烈碰撞……"

他陷入了思考。

良久，陈升长吁一口气，他抬起头看着中年男子："老兄，不愧是作家，你的话很有意思。"

"哪里，有感而发罢了。老弟，继续讲你的故事吧，我很感兴趣。"

"好，那我就接着讲。"陈升站起身，舒活一下筋骨，在房间中边走边说，"我的那个朋友后来考上了一所重点大学，但是，他却没能转变他的观念，他还是天真地认为这个世界会因为他的努力而回报他，可是，呵呵，结果就如老兄你所说，他失望了。

"当他大学毕业后他终于发现，这个世界的很多事情都是注定的，从一生下来就注定了，不管你再怎么聪明，再怎么努力，也无济于事。人的努力只能决定你是在农村种地还是在城市打工，却不能帮助你实现你那些远大的梦想。是的，梦想，不是理想，现在看来，那些就是梦想。"

"男孩子长大了，他步入了社会，他原本认为自己年轻时的努力将要获得回报，这个社会将是他实现抱负、大展拳脚的舞台，可实际上，这里却是他悲剧上演的放映厅。唉，真是对人生莫大的讽刺啊。寒窗苦读十余载，却一事无成。"

"哎，对了。"中年男子忽然想起来，"你刚才说你朋友上学时有一个漂亮的女朋友，还有一个交心的铁哥们儿，他俩后来怎么样了？"

"嗯，我正要给你讲他俩。我这个朋友的女朋友人很美，性格也很好，当时在学校很多官宦富商子弟都追求过她，可是她最终选择了贫穷但优秀的他，因为那个女孩子和我的朋友一样，很傻很天真，女孩子认为男孩子的努力会让她一生幸福。在高中时代，她也确实是幸福的，他们虽然没有多余的钱，但他们无忧无虑，一起吃饭，一起郊游，一起复习功课，一起海誓山盟。那时候的她很爱笑，她笑得很美，很美……"陈升说着，一声苦笑，"可是，我的朋友也看出来了，随着年龄的增长，女孩子笑得越来越少了。高中毕业后上大学，女孩子看着女同学们一个个衣着光鲜，名牌不断，她不禁开始自怨自艾。再后来，大学毕业步入社会，这个花花世界更是乱花迷人眼，她看着与她一同毕业，没她努力也没她漂亮的女孩子一个个都有了钱，她越发失落了。不过，这还不是最令她失落的，最令她失落的是，她和我朋友至今在这座城市也没有一套属于自己的房子，而且，拥有房子这个梦想的实现似乎遥不可及。如今，这个女孩子很少笑了，即便笑也都是苦涩心酸……"

"房子……也是因为房子……"中年男子听着陈升的讲述，喃喃自语。

陈升又是一声苦笑："嘿，或许她会想，当初怎么选了这么一个穷光蛋，要是选一个富二代该多好？"

"……"中年男子看着陈升，两人默然相对。

静静的牢房中是静静的两人。"房子"二字让他们陷入了沉默。

"你那位朋友的铁哥们儿呢？他又和你的朋友发生了什么故事呢？"

"他？他和我朋友本不是一个世界的人，他的父亲是警察，当时就是副局长，听说现在已经做到极高的职位了，我们俩本没有机会产生交集。但是，我朋友的这个哥们儿是个聪明、有思想的人，最难能可贵的是，他没有臭架子，他虽然孤傲，但他佩服有本事的人，而在他眼中，我的朋友就是个有本事的人。于是，我朋友和他的这个哥们儿就成了交心的好友。"陈升说着，有些出神，他下意识地伸手去摸兜，想要掏烟，却发现身上空无一物，便将手放下，接着说，"我朋友的这个哥们儿很重情谊。高考结束后，我的朋友家中一贫如洗，父母身体又不好，我朋友差点因此放弃上大学。他的那个哥们儿听说后，主动送来一万块钱，可是我朋友死要面子，愣是拒绝了好友的帮助。并且，我朋友再也不联系他这个哥们儿了，或许……或许是我朋友觉得自己丢面子吧，又或许……又或许他发觉两人根本还是两个世界的人。后来……听说他的那个哥们儿为此还哭过……嗨，这么大的人了，你说哭什么嘛，又不是生离死别，搞得这么矫情。"

陈升说到这里，已经不似在讲故事，而像是在吐露心声。中年男子依稀看到，陈升神情苦楚，眼中竟然泛起了泪光。他更加确信这个故事的主角的身份。他站起身，走到陈升面前，拍了拍陈升的肩膀，低声说："老弟，这些年走过来，不容易吧？"

陈升眼神迷离，幽幽答道："不容易，是啊，不容易……"

"后来呢？故事后来怎样了？"

"后来？"说到这里，陈升的眼神复有了光彩，那个幽怨的陈升无影无踪了，取而代之的是一个精明坚定的陈升，他说，"后来的事情可就精彩了。"

陈升态度的明显变化出乎中年男子的意料，他催促道："快说说。"

"十一年，相隔十一年，我的朋友和他的这个哥们儿在这座城市重逢了，吊诡的是，我朋友的哥们儿做了警察，而我的那个朋友却成了杀人嫌疑犯。"

中年男子知道，终于说到事情的正题了，他聚精会神地听着，问："杀人嫌疑犯？你朋友怎么就成杀人嫌疑犯了？"

陈升微微一笑："为什么？原因很简单，因为房子。"

"房子？"

"对，房子。"

"怎么回事呢？"

"我前面说了，我的朋友迫切需要一套房子，可他又买不起，怎么办呢？就在这个时候，一个大老板找到他，告诉他，只要他肯承认杀人，就会得到一套房子。"

"承认杀人？什么意思？你朋友到底杀了人还是没杀？又或者是替人顶罪？"

陈升没有回答这些问题，他只是问："你说，我这个朋友该怎么办？"

"他承认自己杀人了？"

"对。"

"哦。"中年男子一副恍然大悟的神情，那神情分明在告诉陈升：我终于知道你进来的原因了，也终于知道你进来以后说那些莫名其妙的话的原因了。

陈升说着，皱了皱眉，像是在讲述，又像是在自言自语："可是，有一点我的这个朋友没有料到。"

"什么？"

"他没有料到，他十一年没见的做警察的哥们儿会负责侦破这个案子。"

"啊？这么巧？"

"是啊，就是这么巧。"

中年男子看陈升面带难色，便试探着问："怎么？你的朋友开始担心了？担心他的警察同学发现他的秘密？"

"不，我不认为他能发现我朋友的秘密，除非……"

"除非什么？"

"除非我朋友自己说出事实真相。"

"啊？我不懂你是什么意思。"

陈升微微一笑，他没有回答问题，而是再次"莫名其妙"起来，他忽然问中年男子："我们聊了有半个小时吧？"

"啊？"中年男子跟不上陈升的节奏。

"嗯，我看差不多，有半个小时了，呵呵，时间不早了，不能再这样耗下去，该做决断了。"陈升自言自语。

说罢，陈升做了一个出人意料的动作。

他猛地站起身，跑到铁栏前，高声叫道："警察同志！警察同志！麻烦您，我有事找你们领导！"

叫罢，陈升回过头看着一脸茫然的中年男子，说："老兄，你一定想知道我朋友到底有没有杀人，你先等等，等我回来再给你讲下面的故事吧。"

< 二十八 >

吴哲和韩景天在一个小饭馆要了两笼包子，韩景天一口吞两地大吃大嚼起来，他饿坏了。吴哲则只吃包子皮，将肉馅都倒了出来。

韩景天笑了："学长，你吃包子咋不吃馅啊？"

吴哲脑子中仍旧是案子，他心不在焉地吃着东西："老习惯了。"

韩景天看着香喷喷的肉馅，不客气地都扒到自己盘子里。

忽然，吴哲放下筷子，抬头问韩景天："小韩，你说我是不是判断错了？"

"啊？"韩景天嘴里全是包子，不解地说，"什么判断错了？"

"你说陈升会不会真的是杀人凶手？"

这一回，韩景天差点被噎着，他忙咽了包子，问："学长，你不是说陈升不是凶手吗？"

吴哲再次陷入了巨大的痛苦："我不得不承认，我恐怕有些感情用事了。"

韩景天知道吴哲心情矛盾，他不知该怎么回答，索性不言语。

吴哲又说："陈升冲动杀人我无论如何不信，倒是有可能是被人指使所为，比如潘高峰。夏莹莹今天拒绝为吴哲做证，难道就是因为她知道事实真相？"

韩景天抹了一把嘴，说："学长，我说句话你别生气啊。"

"你说吧。"

"你的那个同学陈升，他若不是真的杀了人，他怎么可能主动来投案自首？他又不是疯子。所以，我还是建议对他重点审讯。"

吴哲眉头紧锁："这个案子真是令人意外，先是马站立出现，然后是李秀丽、潘高峰出现，现在和潘岩关系不大的陈升又主动投案自首，夏莹莹又拒绝为陈升做证，所有这一切现在都是凌乱的线索，无法串联啊。"

"学长，你说的这几个人都与潘岩被杀案或多或少有关系，我觉得只要我们沿着目前的线索继续追下去，一定能抓住凶手。"

"是啊，马站立和李秀丽的杀人嫌疑已经基本排除，即使他们与潘岩被杀案有关系也最多是同谋，绝不是主谋或凶手。剩下的最大嫌疑人就是潘高峰和陈升了。"

韩景天被吴哲的思路吸引，忘了吃包子，他也皱着眉头问："他俩到底是谁杀了潘岩呢？"

吴哲叹了口气，说："要想知道结果，还是要等血检报告。假如潘岩口中的血被证明是潘高峰的血，那么潘高峰就是凶手；假如那是陈升的血，那么陈升就是凶手；假如是别人的血，那么我们还要想办法寻找凶手。总之，一切还是要等化验结果。"

韩景天听罢，也无奈地耸了耸肩。

侦破一起刑事案件就像打一场仗，而面对高智商犯罪，这场战争就变得异常激烈而残酷。

就在吴哲和韩景天商讨案情的时候，吴哲的手机忽然响了，他接通了电话："喂，薛队，我是吴哲。"

韩景天明白，是薛万彻打来的，难道血检报告出来了？那就可以结案了吧！学长也终于可以松口气了。

然而，出乎韩景天的意料，接听电话的吴哲忽然瞠目结舌。待吴哲挂断电话，韩景天看着几乎惊呆的吴哲，忙问："学长，怎么了？"

吴哲怔在那里，良久，他才说："陈升，翻供了！"

< 二十九 >

2月17日上午十点二十分。

当吴哲再次在审讯室见陈升时，陈升似乎恢复了不少理智，眼神比较集中，脸色也不再难看，身体坐得正直。

吴哲似乎又看到了那个熟悉的陈升。

薛万彻也在审讯室。见到吴哲他们回来，薛万彻将吴哲叫到审讯室外，说："就在刚才，陈升忽然翻供，声称自己没有杀潘岩，并说自己是被人逼着来投案自首的。"

"被谁逼的？"

"他不说，只是说一切都要等你回来再说。"

"等我？"吴哲有些意外。

"对，就是等你。"

"那好吧，就让我去见见他。"说着吴哲想往里走。

薛万彻拦住了他："小吴，还有件事。"

"什么事？"

"是这样，由于化验血样的机器出了些故障，血检报告还要再等几个小时才能出来。"

吴哲听到这个消息，显得很无奈，只能苦笑一声，说："没办法，机器总难免会出问题，只有等吧。"

吴哲来到审讯室，他看着陈升。

陈升也看到了他。

两人相视一笑，只不过彼此笑得都有些僵硬和尴尬。

这一次，未待吴哲说话，陈升却先开口了。陈升没有再疯疯癫癫的，而是很认真地对吴哲说："吴哲，我有个请求。"

陈升忽然正常，倒让吴哲有些意外，他顿了一下，然后说："你说吧，什么事？"

"我想打个电话。"

"给谁打？"

"夏莹莹。"

"……"

"可以吗？"

"这恐怕不合规矩。"

"老同学，我很挂念莹莹，就当我求你了，行吗？"

吴哲看陈升神情恳切，便暗叹一声，点了点头："好吧，不过你要用免提通话。"

吴哲拨通了夏莹莹的电话，交给陈升。

吴哲就在陈升身边，陈升看了看吴哲，笑了笑，将通话模式调成了免提模式，所有人都听得清清楚楚。

不多时，电话那头传来夏莹莹的声音："吴哲？"

"是我，陈升。"

"哦。"

"莹莹，你还好吗？"

"好。"

"嗯，那就好。我知道了。"

说完，陈升立刻挂断了电话，将手机还给吴哲。他显得很轻松，微笑着对吴哲说："老同学，谢谢你，现在，我要交代我的事情了。"

陈升的这个电话如此简短，让吴哲感到意外，毕竟一对恋人一夜不见，难免会多说几句话，但他俩的对话简短到让人误以为是打错了电话。

同时，吴哲也感慨：这或许就是两人的默契吧，一句简单的问候和一句简单的回答，就能包含所有的话。夏莹莹虽然不再是过去那个女孩，但人毕竟是有血有肉的生物，她对陈升应该还是有感情的。

陈升和夏莹莹简短的对话令吴哲感到一丝解脱与轻松，不仅是陈升有摆脱嫌疑的希望，更让他对人性又有了一丝信心。

吴哲坐到了陈升对面。韩景天开始记录。

吴哲问："对面的人，请说出你的姓名、年龄、工作单位和职务。"

"陈升，三十岁，潘氏地产设计员。"

"今天早晨你来市局投案自首，称自己杀死了潘氏地产董事长潘岩。"

"对。"

"你在什么时间，什么地点，怎么杀死的潘岩？"

这一次，陈升没有再承认自己杀人，他朗声说："对不起，我没有杀潘岩。"

吴哲对陈升的回答不意外，便提高了声音问："陈升，你怎么不承认昨晚说的话了？"

陈升满脸的歉意，答道："对不起，我承认我昨晚是来投案自首了，但是，我昨晚说的都不是真的，我没有杀人，我来投案自首是被人逼的。"

"谁逼你的？"

陈升几乎是一字一顿地重重地回答："潘高峰，是他逼我来投案自首的。"

吴哲心中早已隐约猜到了是这个答案："潘高峰是如何逼你的？"

"他说让我来投案自首，承认自己就是杀死潘岩的凶手，他会给我一笔钱，否则，他就要开除我，并威胁我，如果我不照办就要把我也杀死。"

"你刚才说'也'杀死？"

"对，他就是这样对我说的。"

吴哲飞快地思考着第一次审问陈升的每一个细节。难怪陈升早晨神志不清，原来是受到了潘高峰的威胁？！

他又问："陈升，既然不是你杀了潘岩，那么今天早晨你为什么会详细地知道潘岩被害的具体时间、地点、死亡方式？这些与我们掌握的情况都吻合。"

陈升回答说："是潘高峰教我这么说的。"

"他这么教你的？"

"是，他告诉我，让我说15日下午六点十分之后在香樟园小区角落里勒死了潘岩，我就照着他教给我的说了。"

对于陈升的回答，吴哲没有发现破绽。但是，吴哲又感到一种异样的疑惑涌上心头：回答太完美了，是真是假？

吴哲又问："可是，既然你已经来投案自首，为什么短短四个小时后又要翻供？"

听到这里，陈升惨然笑一声，回答说："吴哲，吴警官，别人不知道，你还不知道吗？我有莹莹，我有孩子，我不能为了钱死。我在这几个小时里想了很多，最终，我放弃替潘高峰背黑锅，我想好了，出去后，我就带着莹莹回老家生孩子，过下半辈子。"

吴哲看着陈升，这个特殊的嫌疑犯让他觉得很不舒服，他在这里审讯过几十名犯人，可今天他面对陈升，却有一种从未有过的压力，这种压力来自于人生的一种重要情感——友情。

吴哲看着陈升，陈升看着吴哲，两人四目相对，久久无言。

韩景天凑到吴哲耳边，低声说道："学长，想想你这个同学昨晚的样子，兴许真是被吓坏了才来背黑锅，今天回过神来就后悔了。"

吴哲没有说话，他多么希望韩景天说的是现实，但是，他没有把握。

"陈升，你说的是实情吗？"吴哲认真地问，"我想知道实情。我这是为你好，我们是朋友！"

吴哲言辞恳切，令人动容。陈升脸上露出一丝悲伤，那悲伤就像是穿越千年时空的情谊，又像是目送一个故人远去，永不再回。

但，这种悲伤转瞬即逝，取而代之的是决然："吴哲，我说的都是实情。"

吴哲见陈升态度坚决，便说："陈升，既然你说自己说的都是实情，那我下面就要问你一些问题，你如果回答不上来或者乱编乱造地蒙蔽我们，那对你将会很不利，希望你如实回答，你想好了吗？"

"我想好了，你问吧。"

"好！我问你，陈升，2月15日下午六点到六点三十分你在哪儿？"

陈升想了想，答道："我六点整到潘氏地产售楼部看房子，然后……"陈升眼球上翻，嘴里嘟嚷着，一副努力回忆的神情，想了一会儿，答道，"我六点二十多就走了，八点到的家，莹莹可以做证。"

"你说售楼部，是不是香樟园小区南区那个售楼部？"

"是。"

"谁接待的你？"

"陈雪。"

"就是你推荐我去找的那个陈雪？"

"是。"

吴哲点了点头："陈升，对于你说的话你要负责，我们会去一一核对它们的真实性，你懂得这意味着什么吗？"

"我懂。"

"那就好。如果你说的是事实，那么你就有了不在场证明，也就洗脱了嫌疑，可如果你说的无法得到证实，那么你仍是杀人嫌疑犯。"吴哲不厌其烦地为陈升解释，希望帮助他。

"你们可以去调查，我说的都是实情。"

"好。"

"吴哲，我可以离开警察局回家了吗？"陈升问。

"对不起，你还不能走。"吴哲如实答道。

陈升一副无所谓的神态，很超脱地说："是吗？真遗憾，不过没关系，我就在这里多待一会儿，等你们证实我说的是真话以后再走吧。"

<　三十　>

17日中午十二点。

为了证明陈升交代的情况，吴哲和和韩景天再次来到了香樟园小区，只不过这次他们没有去案发的北区，而是直接去了南区，因为售楼部就在南区。

潘氏地产香樟园小区的工程虽然停建了，但公司仍然照常办公。香樟园南区，与北区有着同样的风格，同样在施工，只不过北区多为高层建筑，南区多为多层建筑。

南区与北区一样冷冷清清，公安机关封闭施工现场的公告仍在，小区内除了办公区域中三三两两的人员，再无外人。

因为潘岩的死，潘氏地产不但工程无限期停止，就连预售房也少有人问津了，很多已经交订金的业主纷纷要求退房。

吴哲也在这里买了一套小户型，但是，他的心思完全不在房子上，他现在只希望查出案件真相。

韩景天建议先去询问陈雪，吴哲却要求先去查看监控录像。

在南区监控室，吴哲和韩景天用了一个小时查阅了最近几天的监控记录，重点查看的对象当然是陈升。

吴哲他们发现，陈升最近一个月每天下午都要来南区，而且时间和行踪都是有规律的。他进入的时间多在六点左右，出门的时间多在六点半，只有2月15日案发那天，陈升提前了几分钟出来，他是六点二十五分出来的。而且，陈升一个月来进入南区总是直奔办公楼，那里正是售楼部所在地。由于潘氏地产办公楼内部的监控系统尚未启用，因此进入办公楼以后的行踪无法查看。

吴哲让韩景天将陈升每日出入的时间都记录下来，然后他一遍遍来回播放着15日当天傍晚，陈升出入小区的监控录像。

录像显示，陈升从小区南大门走进办公楼，走的是直线距离，途中没有任何异常举动，也没有接触任何人，六点二十二分他从办公楼出来，同样是走直线从南大门出去。

查看许久，没有发现问题，陈升的行动看起来很正常。

吴哲看着录像中陈升熟悉的身影，他在心中分析：

假定陈升是杀人凶手，那么他作案的时间很短。他六点进入南区大门，六点零四分才进入办公楼，接着，六点二十二分他从办公楼内走出，三分钟后便从南区大门出去。

他作案的可能性只在这十几分钟内，确切说是从六点零四分到六点二十二分之间，联系潘岩六点零八分进入北区的监控盲区，可推算出陈升作案的时间只能是在六点零八分到六点二十二分之间，前后不过区区十四分钟。十四分钟，即便是从南区大门绕到北区大门也很难做到，更何况陈升自始至终根本没有从南区出来，他又怎么绕道过去呢？

若不绕道，直接从南区去北区的话倒是来得及，可这一分析的基础是——南北区是相通的。但吴哲十分清楚，香樟园小区的南北区是完全隔绝的，中间根本没有路，陈升不可能避开摄像头，越过高墙从南区穿越到北区。

这样看来，如果陈升真的在15日去了售楼部，那么对陈升的调查基本就可以停止了，监控录像显示他没有作案时间。他去了售楼部就意味着他的行踪得到证实，这是最好的不在场证明。

吴哲知道，香樟园小区的售楼部在办公楼的二楼大厅，如果陈升去了售楼部，那么他无论是坐电梯还是走楼梯，都需要三分钟左右的时间，再算上他在售楼部逗留的时间，进出最少也有一两分钟，这样算下来，他最多就只剩下不到十分钟的时间作案。而从案发现场到售楼部的距离并不短，即便是直线距离也有近百米，陈升无论如何无法在十分钟内完成南北区的穿越并杀人，再顺利返回，绝不可能。

所以，不管如何，第一步先要证明陈升是否去了售楼部，吴哲想到这里，直奔售楼部，找陈雪。

售楼部内空空荡荡，原本门庭若市的这里只剩下了几个还在值班的销售员，陈雪就在其中。

看到吴哲和韩景天穿着警服走进来，原本对来客充满热情的售楼小姐们一个个如老鼠见了猫，神色惶恐地纷纷避让，有的躲了起来，有的忙低下头装作没有看到。她们都猜到警察是来调查潘岩被杀案的。

陈雪正低头摆弄着自己的新款手机，却被吴哲叫了起来："陈雪，你好，我是市公安局刑警队的，有几个问题想要向你了解。"

陈雪知道躲不过了，便尴尬地抬起头，她看到吴哲，干笑道："吴警官，你好，又见面了，原来你是警察啊，哎呀，恕我上次眼拙，没有看出来。吴警官，你穿上警服显得更帅了，呵呵，我其实早就看出来你是个能人……"

陈雪喋喋不休，韩景天皱了皱眉，心道：这女人怎么这么能说？

吴哲笑了笑，打断了陈雪的话头："对不起，陈雪，我们坐下详谈吧。"

陈雪这才停下来。三人来到一处僻静的角落坐下，陈雪要去倒水，被吴哲制止了。

陈雪表情很紧张，手不停地揉搓着自己的衣服角。她问吴哲："吴警官，我猜你们是来调查潘董被杀案的吧？是不是？"

"不错，我们现在需要你的配合。"

"我？我能帮什么忙啊。"

"你不用紧张，我问你什么你如实回答就可以了。"

"你们想要知道些什么？"

"陈雪，2月15日，也就是案发当天，你值班吗？"

"嗨，我们最近忙得很，连周末都不休息，我每天都在这里。"

"好，那么请问，15日陈升来没来售楼部？"

陈雪眼睛向上翻，思索着说："我想想啊，2月15日，也就是前天，我想想，我想想……"

"不要急，你仔细想。"

陈雪思索片刻，懊恼地回答："哎呀，吴警官，陈升这一个多月每天下午都要来我们售楼部，你问我2月15日他来没来，我也记不清了。"

　　吴哲大概猜到是这个结果，陈升最近一个月果然每天都来售楼部，但是偏偏15日最关键的那天陈雪却不记得了。"这种事情应该很好回忆，毕竟那天是个特殊的日子。我还可以给你一些提示，把时间缩短到15日六点到六点半，你再仔细回忆一下。"

　　"吴警官，你也知道，我每天接待很多人，有时候陈升来也未必找我，他只是来看看房子，有时候坐下喝杯水就走了。所以，我真的不知道他那天来没来。"陈雪说着，似乎想起了什么，她眼睛一亮，一拍大腿，说，"哎呀，我有办法了。"

　　说着，陈雪一溜小跑走了，不多时，她捧着一大本东西回来了——那是售楼部的《访客登记簿》。

　　吴哲见过这个东西。

　　陈雪翻开登记簿，说："陈升这个人很守规矩，他每次来都会主动登记。你们看。"陈雪指着登记簿翻着，上面每天都有陈升的签名，都是在下午六点到七点那一格中。

　　吴哲伸出手，问陈雪："陈雪，登记簿能让我看看吗？"

　　"当然。"陈雪递给了吴哲。

　　吴哲翻开厚厚的登记簿，首先翻到2011年12月23日，那是他第一次来找陈雪买房子的那天，上面自己的签名仍在，没错了，就是这本。

吴哲开始翻阅后面的，他仔细查看每一天的记录，果然，就如同陈雪所说，最近一个月，陈升每天必来。

吴哲翻着，越来越接近2月15日，他竟然有些紧张，答案似乎就要揭晓了。陈升来没来的最关键证据，就是这个登记簿上是否有他的签名。

看到15日这一天。

吴哲翻开那一页，韩景天和陈雪也凑了过去，六只眼睛盯着六点到七点的表格中，"陈升"二字如同两颗钢钉钉在纸上——那天他来过。

吴哲轻轻舒了口气，这其实是他最盼望的结果。但同时，吴哲又想到一个问题，这个问题刚才在他脑海中一闪而过，现在又重新涌了上来：陈升为何突然在最近一个月每天都来售楼部，时间又为何都卡在六点到六点半之间？他是下班以后随意所为，还是有意为之？假如是有意为之，那陈升的目的又是什么？仅仅是为了买房子？如果不是买房子，那他难道是……

陈雪忙问："吴警官，陈升15日来过，他来过能证明什么？"

吴哲没有回答她，反问道："陈雪，我还想问你一个问题。"

"请问。"

"案发后，夏莹莹的情况如何？你们是闺蜜，应该多少知道些吧？"

一听吴哲问起夏莹莹，陈雪撇了撇嘴，打开了话匣子："吴警官，你不提夏莹莹就算了，你既然提起她我就有话要说了。"

"你说吧。"

"哼，我知道，陈升今天早晨去投案自首了。"

"咦？"吴哲一愣，"你怎么知道？"

陈雪笑道："吴警官，我可是夏莹莹的好友啊，她瞒别人可不会瞒我。更何况，现在通信这么发达，稍有风吹草动，十分钟之内传遍全国。现在这件事不但我知道，我们公司很多人都知道，这么大的事情想瞒也很难啊。"

吴哲说道："具体案情我暂时不能向你吐露，但是我可以告诉你，我们正在全力侦破该案，希望你能配合我们，为了死者潘岩，也为了你的朋友。"

陈雪轻叹一声，说："唉，说起来陈升这小伙子除了穷点，真是没什么缺点，就凭他像超人一样每天给夏莹莹送饭，他就是一个完美好男人。"

韩景天这时忍不住开口说话了："你的说法很特别。每天中午送饭也没什么啊，谈不上完美，更谈不上超人吧。能解释下你为什么这么称赞陈升吗？"

吴哲点了点头，表示支持韩景天的疑问。

陈雪不无赞叹地答道："送饭不难，难的是每天按时送饭；每天按时送饭也不难，难的是陈升每天都用极短的时间将热饭热菜送到夏莹莹面前，就为了能让自己女朋友中午多休息一会儿。"

吴哲听着，富有"天赋"的神经立刻察觉到了什么，就像是天生敏锐的猎狗嗅到了敌情，他忙问："你说用极短的时间送来，用多久，具体时间？"

陈雪将两个食指交叉成十字形："十分钟。"

"十分钟？"

"嗯。"

"你们公司中午几点下班？"

"十二点。"

"也就是说，陈升每天十二点十分准时来到南区给夏莹莹送饭？"

"是的。"

韩景天连连摇头："你们小区这么大，从北区大门到南区大门开车也要将近十分钟，还不算路上堵车或等红绿灯的时间，十分钟从北区来到南区，每天如此，难以想象。陈升开车技术很好吗？"

陈雪答道："他没车。"

"没车？"韩景天目瞪口呆。

他看了看吴哲，吴哲早已陷入了巨大的阴影。吴哲预感到，他担心的事情正在一步步上演。

吴哲努力使自己冷静下来，他站起身，在周围慢慢踱着，他时而眉头紧锁，时而微闭双目，陷入了沉思。

"如果是这样的话……只有这样了，可是……对，这是个办法，他会这样做，只是……不对不对，时间对不上，十分钟无论如何不够啊……"吴哲自言自语。

韩景天和陈雪看着吴哲，不敢打扰他，任由他"神经质"地自说自话。

吴哲就这样陷入自己的思绪中足足有十分钟，看得韩景天和陈雪大眼瞪小眼，不知道的人还以为吴哲魔怔了。

吴哲每次陷入这种冥思苦想，总会破案，但是这一次，他不得不承认，案件太复杂了，他无法断定谁是凶手，更无法断定凶手作案的方式，这在他从警近十年的过程中是绝无仅有的。

吴哲察觉到，自己遇到了前所未有的对手，这个人究竟是谁？

吴哲和韩景天从售楼部出来后，吴哲没有立刻离开，而是在香樟园小区里面来回走动，他期盼能在案发地获得某种灵感。

吴哲走到南区的尽头，迎面是一堵高达三米的高墙，墙的另一边就是小区的北区，墙的两侧监控林立，任何人都没有可能在避开监控的情况下翻越这堵墙，陈升自然也不可能。既然不可能，他又是如何作案的呢？难道陈升真的是去了售楼部看房子？他的投案自首真的是被威逼利诱？他真的不是凶手？

忽然，手机铃声响起。

吴哲接通了电话，只听电话那头说："喂，是吴警官吗？我是陈雪，我刚才想到一个重要的事情。"

"什么事？"

"电话里不方便说，我们见面谈吧。"

"好吧，你们小区旁边有个咖啡厅，我们在那里等你，你来吧。"

"好的。"

十分钟后，吴哲他们在咖啡厅见到了陈雪。

陈雪警觉地向四周看了看，确定没有人跟着她，她才坐下。

"喝点什么？"吴哲问。

"热咖啡。"

"小姐，"韩景天招呼服务员，"一杯热咖啡。"

香浓的咖啡摆上来，陈雪用勺搅拌着，低头不语。

吴哲问："陈雪，有什么情况你尽管说吧。"

陈雪咬了咬嘴唇，犹豫片刻，终于开口说："吴警官，其实这件事在我们公司已经传遍了，大家都在私下议论，你们走后我忽然想起这件事，便给你打了电话。"

"到底是什么事？"

陈雪抬起头，将身子向前凑了凑，低声说："公司的人都在传夏莹莹和潘主任是相好。"

吴哲听着，心中微微一惊。虽然他在此前就发觉夏莹莹移情别恋，但早先他可不知道这个人竟然是潘高峰。即便他几个小时前询问夏莹莹的时候已经隐约觉察到这一点，但听到陈雪说出这件事还是令他感到一丝震动。

就目前的推断来看，杀死潘岩嫌疑最大的两个人，潘高峰和陈升，似乎有了交集。

吴哲问："这个消息确切吗？"

"哎呀，这个消息我也是听说，但是我可没有亲眼看到。"陈雪嘴上这么说，眼睛却不停地转动，时不时地瞄一下吴哲。吴哲知道，这是典型的说谎。陈雪与夏莹莹是闺蜜，这种事情是瞒不了陈雪的，她并不是"听说"，而是"确信"。

吴哲问："陈雪，能不能告诉我，你为什么要把这个消息告诉我？"

陈雪低下头，轻叹一声，说："唉，我是可怜陈升和夏莹莹，本来郎才女貌，多好的一对，可结果……要说陈升杀人，我可不信，但要说潘主任杀潘董，倒是……倒是有可能，大家都知道他们兄弟……"

陈雪说着，意识到自己失言，忙解释说："吴警官、韩警官，我说的话你们一定不要对其他人说，被潘主任知道我可惨了。"

吴哲淡淡一笑，说："放心吧，你说的话我们会保密。"

韩景天在一旁说话了："可是，陈雪，即便陈升的女友夏莹莹和潘高峰有染，但这和杀潘岩有什么关系呢？"

"哎呀呀，你们一点也不了解潘主任，他最恨潘董了，潘董的母亲撵走了潘主任的生母，潘岩又取代他继承了潘氏地产，以潘主任的手段，我觉得……我觉得他什么都做得出来。"

韩景天听着，摇了摇头："话虽如此，但我觉得这里面还是没有必然的联系。"

吴哲似乎明白了陈雪的用意："陈雪，你是不是想告诉我们，潘高峰、陈升、夏莹莹之间存在复杂的关系，这可能与潘岩被杀案有关？"

陈雪狠狠地点点头："嗯。"

韩景天仍旧不解："不懂，不懂，这是他们三人的纠葛，潘岩又和他们没有交集，能有什么关系呢？"

吴哲却说："是啊，这里面没有必然的逻辑联系。但是破案的关键往往在于那些看似没有联系的事情上。看来我们应该再去拜访一下夏莹莹了。"

陈雪忙又说："警官，你们千万千万不要告诉莹莹我给你们说的话。"

"你放心吧，我们不会说出去的。"

"那就好，那就好。"

陈雪走后，仅仅十分钟，吴哲的手机再次响起。

这一次，是薛万彻的电话："你们来市局技术科找我，化验结果马上就要出来了。"

听到这个消息，吴哲二话不说，带着韩景天驱车风驰电掣一般冲回市局。

< 三十一 >

陈升再次回到看守所的房间后，听到中年男子正在轻哼着一首歌："啊，亲爱的朋友们，美妙的春光属于谁？属于我，属于你，属于我们八十年代的新一辈。"

陈升看他唱得投入，便饶有兴致地问："老兄，心情不错啊？"

中年男子看了看陈升，笑着问："老弟，怎么样，没事吧？"

"没事，我很好。"

"哦，那就好。你刚才的故事让我颇有感触，它让我想起了我年轻时爱唱的一首歌，就情不自禁地哼了起来。"

"哦，那首歌啊，《年轻的朋友来相会》嘛，八十年代流行的歌曲。"陈升对于这首曾经风靡全国的励志歌曲并不陌生。

"不错，就是《年轻的朋友来相会》。老弟，老哥有几句话想说给你听。"

"你说吧，我听着。"

中年男子抿紧嘴唇，轻轻点了点头，然后舒展脸部肌肉，微笑着说："老弟，你知道吗？每个时代都有每个时代的特点，每个时代的人都有每个时代的故事。我想给你讲讲我们这一代人的故事。"

"那就请老兄你给我讲一讲你们那个时代的故事吧。"

"我是六十年代生人，我们这一辈人的青少年时代正是八十年代。那个时候，我上高中，满怀激情，希望在改革的大潮中为社会做出我的贡献。其实，不单是我，和我同时代的很多年轻人都有'实现祖国四化舍我其谁'的气势。"中年男子说着，眼睛略向上看，似乎整个人都回到了过去的时光。

"这是你们激情燃烧的岁月。"陈升总结说。

"嗨，什么激情呢？随着时代的变迁，年岁的增长，我终于发现，原来我们每个人都并非社会不可或缺的一员，我们每个个体，不过是芸芸众生中的普通一分子罢了。"

最后这句话，陈升感觉像是替自己说的。

中年男子重重地呼了口气，接着说："我们这一代人经历过下乡、下岗、下海，可是我们难道就不生活了吗？不，我还是要继续生活啊，我虽然对于这首歌不再富有激情，但是我无法抹去我的记忆。它毕竟是我的人生，是我的青春。每个时代都有它的特点，我们不应该将罪责推给时代。幸福的人都有同样的幸福，不幸的人却有各自的不幸。人生就是如此，总是不如意的事情更多点，不独此时，任何时代都是如此。"

陈升认真地听着中年男子的讲述，这个人的每一句话似乎都让陈升的心灵受到某种撞击。

"老弟，你们其实处在一个好时代，我很羡慕你们，我看你一表人才，谈吐不凡，你应该振作起来，你是有希望的。"

陈升先是微微点了点头，可接着，他却叹了口气，说："老兄，这些道理我都明白，可是当我们面对最现实的问题时，我们真能做到心如止水吗？就拿你来说，你老婆和你离婚，她要拿走你的房子，你不也发飙了吗？"

中年男子怔了一下，然后挠了挠头，笑道："你说的不错，事不关己，关己则乱，就是这个道理了。"

中年男子说着，忽然想到了那个案子，他问陈升："对了，你刚才的故事给了我灵感，我似乎想到如何写一本推理小说了。怎样？接着给我讲吧？"

"呵呵，当然，我很愿意继续讲。刚才我们讲到哪儿了？"

"自首。"

"哦，对了，自首。"陈升再次组织语言，开始讲述他的故事，"是这样的，我朋友投案自首，说自己杀了人，因为有人答应他，只要他这么做就会得到一套房子。"

"然后呢？"

"然后我的朋友后悔了。"

"啊？后悔了？"

"是啊，后悔了。"陈升双手一摊。很奇怪，一提起案子，陈升立刻神采奕奕，全无半分方才的那种忧郁和哀怨，就像换了个人。他面带微笑地说："我朋友想清楚了，他不想送命，他还有牵挂的人，他还不能死，所以，他后悔了。"

"等等，这到底是怎么回事？这种事情怎么能说反悔就反悔？"

"这个案子，嘿嘿，怎么说呢，说它复杂也复杂，说它不复杂也不复杂。"

"麻烦你解释一下，我写作的时候好用上。"

"没问题，"陈升很爽快，"这个案子要从本市的一家大型地产公司的房子说起。"

"啊？又是房子？"

"对，又是房子。两个月前，我朋友的女友怀了孕，他们急需一套房子结婚，但是你也知道，C市房价太高了，他们根本没有能力在短时间内买房子。就在我朋友一筹莫展的时候，一个机会找到了他，这个机会就是我前面说的命案。"

中年男子全神贯注地听着。

陈升继续说："本市著名的潘氏地产你听说过吧。"

"当然。这可是一家有名的企业，它的创始人老潘董一年前去世了，现在的掌门人是他的儿子潘岩。"

"一点不错，就是这个企业。看来你对这个企业蛮了解。"

"我在C市生活了十几年，当然知道这个企业。而且，就算不是C市的人，恐怕很多人也知道这个企业吧。这个企业的绯闻这么多，老潘董娶了小三，扶小儿子潘岩上位，大儿子潘高峰失去家族继承权，这是八卦新闻早就报道了的。"

"是啊，很有名的企业。"

"怎么？命案和它有关系？"

"对。刚才你说的新掌门人潘岩，在前天傍晚被人杀死在潘氏地产修建的小区内。"

"啊？"中年男子轻呼一声，"被人杀死在自家小区内，这也太奇怪了。他是怎么死的？谁杀死了他？我进来三天了，外面的消息我根本不知道，你快说说，这是怎么回事呢？"

"怎么回事嘛……呵呵，我那个朋友也不太清楚，不过可以确定的是，这是一起高智商犯罪。"

"高智商犯罪？"

陈升神秘地说："没错，杀人凶手使用了障眼法，避开了层层监控，巧妙地实施作案，然后又消失得无影无踪，你说，奇怪不奇怪？"

"听起来是蛮吓人的，可是这到底是怎么回事？你朋友不会……不会就是凶……凶手吧？"中年男子当然明白，这个所谓的"朋友"八成指的就是陈升自己。

陈升没有直接回答中年男子，而是说："我朋友昨天晚上接到一个电话，有位大老板希望他主动到公安局投案自首，承认自己是杀死潘岩的凶手。"

"是谁找到你朋友的？"

"你一定想不到吧，就是潘岩同父异母的哥哥，潘高峰。"

"啊！"中年男子又是一声轻呼，"难道是哥哥为了继承公司，所以杀了自己的弟弟，再找你朋友顶罪？"

陈升面无表情，他没有给出答案。

中年男子面带巨大的疑惑，问："可是，潘高峰为什么找你朋友顶罪呢？他们是什么关系？"

"我朋友就在潘氏地产工作。"

"潘高峰找了自己的员工？可是我还是不懂啊，潘氏地产是上万人的企业，为何偏偏找你朋友不找别人？"

"呵呵，前面我不是说了吗？房子啊，潘高峰答应，只要我朋友投案自首，主动承担罪名，就会给他一套在C市的房子。"

中年男子恍然大悟："哦！破财免灾，金蝉脱壳，潘高峰高明啊……不过……"中年男子在赞叹了一番之后，忽然又有了疑问，"不过，命案这种事情恐怕也不是说顶就能顶的吧，一旦被警察发觉，只怕真凶和冒名顶替的人都跑不掉啊，警察难道没有察觉吗？"

陈升微微一笑，说："你没有在意我说的话吗？这是一起高智商犯罪，什么叫高智商犯罪，就是让警察找不到凶手，即便找到了也因为证据不足而无法对其定罪，又或者……"

陈升说着，忽然不再说了。

他沉默了足足半分钟。

中年男子迫不及待地问："又或者怎样？"

"又或者警察抓的根本就是错误的人，警察认为自己破了案，可真凶其实已经逍遥法外。"

"哦，你的意思是，潘高峰用了巧妙的手法杀死潘岩。警察没有发现他，虽然怀疑他，但是却因为证据不足无法对其定罪。这时候你朋友去顶罪，警察就没有理由不相信你朋友就是真凶，这样一来，潘高峰的所有罪名就推脱干净了，而你的朋友则会被当作真凶判刑，当然，你朋友会得到一套房子。是不是这个样子？"

陈升看了看中年男子，就像是在看一个国家级保护动物一样，饶有兴致地说："老兄，你的脑子很好使啊，你的书一定会卖得很好。"

"呵呵，谢谢你的夸奖。但是呢，我还有一点要请教你。"

"请说吧。"

"你刚才说这是高智商犯罪，说得凶手这么邪乎，连警察都发觉不了他的手法。我很好奇，他到底做了什么？"

"凶手设计了一个天衣无缝的局，一个完美的犯罪，他用不为人知的手段完成了不可能完成的任务，他如鬼魅出现在案发现场，又如幽灵从高楼间消失，警察发现不了他的存在，也可以说，他根本就不存在于这个世界上。"陈升就像是在吟唱一首悠长而意境深远的诗歌。

"可是，老弟你说了半天，还没有告诉我案子的经过。"

"案子的经过？案子的经过就是……"陈升清了清嗓子，提醒道，"老兄你听好了，这案子你写出来，一定会精彩的。"

"洗耳恭听。"

"前天傍晚，潘岩被人叫到潘氏地产香樟园小区角落中，他如约前往，可是，他等来的却是死亡。凶手勒死了潘岩，然后逃离现场。当警察发现潘岩尸体的时候已经是次日早晨，警察……哦，也就是我朋友的哥们儿，他找到了潘高峰，开始怀疑潘高峰就是杀人凶手。潘高峰当然不会认罪，他死不承认，然后，他让我朋友去顶罪，我朋友一开始同意了。于是，我朋友和他的哥们儿在公安局第一次见面了。我朋友的出现令他哥们儿很意外，也很为难，案件侦破陷入了僵局。可接着，我朋友后悔了，他不想就此死去，他要翻供，于是，案子再次逆转。"

中年男子听着，他努力地跟上陈升的节奏，不解地问："你朋友先是投案自首，接着又翻供，即便他向警察讲清楚自己是被潘高峰威逼利诱的，可警察就会完全相信他吗？"

"这个问题问得好，警察当然会对一个主动投案自首的人提高警惕，警察一定会认真核对我朋友所说的不在场证明的真实性。不过这都是无意义的，因为我朋友的不在场证明是真实存在的，警察发现不了破绽。即使发现破绽，他们也只能是怀疑，而无法找到确凿的证据。"

中年男子看着陈升，他狐疑地问："老弟，你朋友他到底是不是凶手？"

"啊？我刚才不是说了吗，我朋友是替潘高峰背黑锅，真凶是潘高峰啊。"

"我一开始也认为凶手是潘高峰，可后面你说的话又让我开始怀疑你……你的朋友就是凶手了。"

"我朋友有充分的不在场证明，难道一个从未出现在案发现场的人会是凶手？所以，案子至此基本可以定案了，嫌疑再次转移到潘高峰身上。"

"为什么是潘高峰？我的意思是即便你朋友证明了自己不是凶手，但又如何证明潘高峰就是凶手呢？仅仅是因为潘高峰指使他投案自首？警察会因此就定潘高峰的罪吗？还有，如果是潘高峰让你朋友去投案自首，这说明他决心要洗脱自己的罪名，既然如此，潘高峰又岂会坐以待毙？他会乖乖承认？"

"潘高峰，哼，蠢货一个。"陈升冷哼一声，脸上尽是不屑，说，"这个狂妄的人，很多人都怕他，他自己也骄傲得很，可在我朋友眼中，他就是个蠢猪，是一头看似膘肥体壮，其实任人宰割的蠢货。他不就是有点钱吗？不就是当个副总裁吗？不就是做事心狠手辣吗？那又如何，这次他想不承认是杀人凶手都不行，他死定了，蠢货终究是蠢货。"

陈升提起潘高峰，就如同是愤怒的公牛，难以抑制情绪。

"老弟，看这样子，你很讨厌这个潘高峰啊，你们有什么过节吗？"

陈升舒了口气，平复一下心情，说："没什么，你只需要知道潘高峰是个徒有其表的蠢货，他这次一定会被判死刑。"

"我还是不明白，难道就因为你朋友的指认，警察就会定潘高峰的罪？"

"呵呵，警察当然不会因此就定他的罪，但是，在铁证面前，潘高峰又如何自辩呢？"陈升淡定地说，"一切都会伴随着血检报告的出炉而尘埃落定。"

"啊？怎么又冒出来一个血检报告？"

"警察在潘岩的口中发现了一些血液，他们根据现场勘验结果，推测有可能是凶手的血。"

"啊，还有这么关键的一招。结果呢？结果是怎样的？潘岩口中的血是潘高峰的血还是你朋友的血，又或者是别的什么人的？"

陈升朝中年男子眨了眨眼睛，笑着问："你说呢？"

"啊？我？我怎么知道嘛。"

< 三十二 >

吴哲和韩景天到市局技术科的时候已经是17日下午四点。

薛万彻正在化验室里面和技术人员交谈着。看到吴、韩二人，薛万彻立刻招呼他们过来："你们俩来得真快，快来，化验结果刚刚出来了。"

吴哲快步走过来，问："薛队，结果怎么样？"

"让技术科的同志给你们介绍吧。"

技术科的人是一位很有经验的法医，他向吴哲介绍说："从尸体检查结果来看，死亡时间是2月15日下午六点到六点三十分之间，死亡方式是被人勒死。凶手特征是，身高在一米八二到一米八六之间，臂力过人。死者口中的血液是另外一个人的，有可能是凶手的血液。"

韩景天在一旁听着，暗暗佩服吴哲：他分析的与验尸报告几乎一样。

"DNA验证的结果呢？那血是谁的？"这才是吴哲最迫切希望知道的。

吴哲心中有些紧张，他也说不清在担心什么，或许，他是在担心那是陈升的血。

"血样DNA验证的结果证实，你送来的血样是潘高峰的血。"法医终于给出了重磅消息，血——是潘高峰的！

当法医说出"潘高峰"三个字的时候，吴哲心中顿时释然不少。

但是，这种释然仅仅维持了不到两秒钟，他就又疑惑起来：既然血液是潘高峰的，那么潘高峰就是杀人凶手，但问题是，他自始至终没有进入过香樟园小区，他又是如何作案的呢？

韩景天却在一旁猛地击掌，欢呼道："哈哈，齐活了！这回终于可以定案了。"

薛万彻饶有兴致地看着韩景天，问："小韩，说说你的想法。"

"薛队，很明显嘛，既然潘岩口中的血是潘高峰的，那他就是凶手无疑，本来嘛，也是他的作案嫌疑最大，现在更是铁证如山啊。"

说着，韩景天竟然模仿起吴哲来，像模像样地还原案发过程："根据我的分析，潘氏地产内部，潘高峰和潘岩因为财产继承权而成仇敌，潘高峰不满弟弟取得了公司领导权，为了夺回本属于他的东西，他便精心策划了一起谋杀案。他先约潘岩15日下午六点去香樟园小区北区的角落见面，等潘岩到达以后，他趁潘岩不备，将其勒死，事后逃离现场。在作案过程中，潘岩与其搏斗，期间咬了他，或者搏斗中他吐血了，哎呀，不管怎样，他的血留在了潘岩口中。对了，作案时他还有个帮凶，就是他的心腹马站立。事后……"韩景天想了想，继续说，"事后潘高峰被学长盯上了，他一开始故作镇静，当学长将其传讯并羁押后，他慌了手脚，因此便让陈升前来投案自首，当然了，他肯定是对陈升威逼利诱了，这一点陈升已经交代清楚了嘛。毕竟潘高峰权势熏天，陈升不过是他手下的一名员工，在金钱和权势之下，很容易就会屈服。这样一来，潘高峰就可以破财免灾、逍遥法外。只不过他没有料到，陈升会反悔，人家翻供了。这样一来潘高峰的如意算盘就落空了，血样检验的结果已经证明，他就是板上钉钉的罪犯！哈哈，薛队，我的分析还不赖吧！"

薛万彻微笑着，说："不错不错，小韩你的进步很大，查案已经颇有功力了，假以时日你也会成为一名优秀的刑警。"

韩景天很开心。

薛万彻又转向吴哲。

吴哲则一直在低头沉思，一言不发。

薛万彻问他："吴哲，把你的想法说出来。"

韩景天伸长了脖子，期待自己崇拜的学长给自己"严密"的分析一个肯定，那样他会欣喜若狂的。

"飞机票。"吴哲"神经质"地蹦出一个词。

"什么？"

"飞机票，你们还记得那张作废的飞机票吗？"

"记得，就是潘高峰买了以后作废的票吧。"

"对。这个问题解释不通。"

韩景天如坠入五里雾里，他挠了挠后脑勺，问："学长，飞机票怎么了？"

吴哲手支下颌，眉头紧锁，分析说："我原本也以为只要血检报告证实了DNA的所属就可以定罪了，但是，就在刚才，我发现有点不对劲。"

"怎么了？"

"你们想，如果潘高峰真的要杀潘岩，他何必订那张机票？订了机票却没有乘坐，这岂不是欲盖弥彰吗？他之所以会这样应该是有什么事情让他不得不放弃乘坐飞机。如果按照这个思路，显然是潘高峰原本打算乘坐飞机离开C市，以创造不在场证明，但突然有什么事情让他不得不放弃离开，也就是说，他本没有打算亲手杀死潘岩。这是第一。

"第二，如果是潘高峰亲手杀死潘岩，他是如何做到的？监控录像上并没有显示他进入过小区。一个没有出现在案发现场的人是怎么把人勒死的？"

韩景天本想辩驳，但是张了半天嘴却无从开口。

薛万彻问吴哲："那么你认为事实是怎样的？"

"我们能不能这样假设，潘高峰确实约了潘岩去小区北区，但他并没有打算亲自实施杀人，而是雇用凶手杀人。他本打算离开C市制造不在场证明，却因为什么事情被迫放弃离开。"

韩景天不甘心自己的失败，再次尝试突破："雇凶杀人倒是极有可能，但问题是他雇用的是谁？会不会凶手就是陈升？"

吴哲瞪了他一眼，反问："如果是陈升，那么潘岩口中的潘高峰的血如何解释？还有，陈升不是有不在场证明吗？他在案发时正在南区售楼部，怎么可能作案呢？"

韩景天再次语塞，至此，他终于放弃了，他意识到这个案件的真相远非他能看破的。

薛万彻不无忧虑地说："小吴啊，这个案子有些超出我的意料，我开始只考虑到这个案子会牵扯到巨大的利益，现在来看，除了利益，这还是一起典型的高智商犯罪，犯罪分子在布疑阵，我预感，我们的侦查还会遇到很多意想不到的事情。小吴，我担心你能不能……"

吴哲看着薛万彻，老警官双眼布满血丝，那是熬夜的结果。吴哲说："薛队，我应付得来，没有问题。只不过，我必须再审潘高峰。"

薛万彻点了点头："当然，审讯他是必需的，你现在就去吧。

下午市局有个重要的会，我就不参加审讯了。"

薛万彻说罢，又叮嘱了吴哲几句，然后离开技术科。

薛万彻走后，吴哲本也打算离开，但是，就在他转身往外走的一刹那，他眼角的余光注意到技术科办公桌上摆着厚厚一摞档案，那是一堆记录表，放在最上面的那一页密密麻麻写着很多字母和数字。吴哲敏锐的神经立刻像触电一样，他猛地停下脚步，大脑飞速地联想：这个记录表和在夏莹莹医务室所见的表极其相似。

他回过身走到那张表格前，拿起来仔细看，只见记录表上面的标题是《市局警务人员体检记录表》，吴哲在短时间内两次见到同一种表格，这令他颇感好奇。

吴哲拿着表格找到法医，问："请问这个表格上记录的是什么？"

法医看了一眼表格，答道："哦，这个啊，这个就是前不久我们市局全体警务人员体检的结果啊，都记录在上面了。"

"这上面的数字和字母都代表什么啊？"吴哲一副虚心求教的神态。

"数字是测量的血压、心率等数值。"

"字母呢？"

"字母就是血型、肝炎等疾病的血液化验结果啊。"

"血液化验？"吴哲立刻觉察到了异样。

"是啊，你忘了？前不久我们为市局所有干警体检时都抽血化验了。呵呵，这是历年体检必不可少的一项啊。"

吴哲愣在了原地。

这时，早已经出门的韩景天在门外叫吴哲："学长，快走啊。"

吴哲这才回过神来，他将记录表交给法医，随口说了句"谢谢"，便忙不迭地冲了出去。

"学长，你在里头磨蹭什么呢？"

吴哲一言不发，只是快步前行。

韩景天知道，这是吴哲发现问题后的特征，他追上吴哲问："学长，你是不是又发现什么线索了？"

吴哲却说："没什么，还是先审潘高峰吧。"

"哦……"

< 三十三 >

17日下午五时三十分，市局审讯室内，吴哲第二次提审潘高峰。

　　这一次，吴哲做了充分的准备，将所有证物带齐，他知道，这一次的审讯，将成为查清事实真相的关键，不容有丝毫纰漏。

　　在审讯潘高峰之前，吴哲还一反常态地交代韩景天，这一次审讯，潘高峰一定会吐露重要消息，但是由于掌握的证据不足以支撑定罪，因此他要用一些技巧，所以要求韩景天在审讯期间尽量不要插话。

　　韩景天虽然有些不情愿，但还是答应了。

　　再次见到潘高峰，他的情绪很低落，全无初来时的趾高气扬，经过这一天的折腾，他显得有些憔悴。原本油光锃亮的大背头已经凌乱，深深的眼袋出卖了他的心情，略显干燥的嘴唇让他显得越发苍老。

　　审讯开始后，吴哲问："潘高峰，你的犯罪证据我们已经全部掌握，现在我最后给你一次坦白的机会，说，你是怎么杀死潘岩的？"

　　潘高峰虽然神气不再，但他毕竟不是等闲之辈，他不会举手投降。他呵呵冷笑道："吴警官，少来这套，有证据就定我的罪，不用诈我，我什么没见过，还怕你吗？"

　　吴哲摇了摇头："看来你真是不到黄河不死心，既然你一定要证据，我就给你。"

吴哲从档案袋中取出了血样检验报告，拿到潘高峰面前。吴哲指着那份报告问他："潘高峰，这是一份血检报告，你知道这份报告意味着什么吗？"

"我怎会知道？"

"你不知道？让我告诉你，我们在潘岩口中发现了一些血迹，化验结果证明，这不是潘岩的血，而是另有其人。怎么样，你现在应该知道我这么说的意思了吧？"

潘高峰怔了一下，这个情节是他始料未及的，即便经历过大风大浪，在面对这种突如其来的变故时，也难免糊涂了："你到底什么意思？"

"哼，非要让我说出来？好吧，我本想给你机会，可你不珍惜，你自己说出来是主动交代，我说出来可就是侦破案件了。"

"我不懂，你到底什么意思？"

"潘岩口中的血不是别人的，就是你，潘高峰的血！"吴哲说着，猛地指向潘高峰。

潘高峰呆了！这个消息如同晴天霹雳，吓得他目瞪口呆。

吴哲看到，潘高峰额头上渗出了汗珠。

但是，潘高峰毕竟见识过人，片刻之后，他强行镇定下来，故作笑容，反问道："吴警官，你刚才出示的这个血检报告，说潘岩口中的血，是我的血，是不是？"

"是。"

"好，我请问，你有没有想过我的血是从哪里来的？潘岩嘴里有我的血应该是咬我留下来的，但是，我全身上下没有一丝新伤，那血又怎么可能会是我的？吴警官，你若不信，现在就可以剥光我的衣服，看个清楚！"

吴哲面无表情，这个问题他早就料到了，他淡淡地答道："剥衣服倒不必了，因为没有必要。这血有可能是你在和潘岩搏斗时从口腔中喷出来，或者从鼻腔中喷出来的，总之，可能性有很多。现在最关键的是，潘岩口中有你的血，这是铁证，这一点你无法辩解。"

潘高峰听罢，眼珠子几乎要爆裂出来，这次他再也坐不住了，额头青筋暴起，脸涨得通红，他失控了，他厉声高叫，怒吼起来："不，不不不，这不是我的血，不可能，这不可能，我的血怎么会跑到那里，有人害我，有人害我！"

吴哲看潘高峰已经方寸大乱，便乘胜追击。他猛地站起身，连珠炮一般喝道："潘高峰，你为了金钱，为了利益，不惜亲手杀死自己的弟弟，你残忍地将其勒死，弃尸户外，事后又百般抵赖。潘高峰，你也算是一个人物，可谁又知道，你那风光的外表下竟是如此肮脏可恶的心！"

一天的羁押，和吴哲数次的审问令潘高峰压力巨大，如今，血检报告成了压垮他的最后一块巨石，他彻底崩溃了。

潘高峰开始歇斯底里地怒吼："你们不能抓我，我没有杀人，难道没有人投案自首吗？陈升没有投案自首吗？是他，是他杀了潘岩，你们为什么不抓他？"

吴哲冷冷问道："你怎么知道陈升投案自首了？你又是怎么知道是他杀了潘岩而不是别人呢？"

潘高峰已经大汗淋漓，他语无伦次地答道："这……这个消息早就传遍了全公司，我虽在公安局里面，但是，我……我当然……当然也知道，陈升如果没有杀人会主动投案自首吗？你们应该抓他，他才是杀人凶手！"

吴哲走到潘高峰面前，四目相对，吴哲用如电的眼神盯着潘高峰，重重地说："陈升已经翻供了，说潘岩不是他杀的，他来投案自首，是你威逼利诱的结果。"

潘高峰沉默了，神情愕然，就像是看到了地狱的大门，惊恐、愤怒和不解写满了他的双眼。

片刻之后，他似乎明白了什么，他脸上呈现出惊愕万分的神情，就像是一个寻找宝藏的大盗忽然找到了藏宝地却发觉宝藏早已被人搬空。

随即，这位被困的枭雄像是一头发疯的狮子，疯狂地晃着头，怒吼声震动审讯室的天花板："奸夫淫妇，一对贱货，你们合伙陷害我，我要你们血债血偿！"

吴哲听得清清楚楚，潘高峰怎么突然之间冒出这么一句？这句话是什么意思？吴哲立刻问道："潘高峰！你说奸夫淫妇？谁是奸夫淫妇？谁陷害你？"

潘高峰一言不发，兀自"呼哧呼哧"地喘着粗气，他的身体在剧烈地颤抖。

吴哲大脑飞速地"翻阅"所有有可能与"奸夫淫妇"产生联系的线索。

"谈谈你和夏莹莹的事情吧。"吴哲猜测这个词多半与夏莹莹有关，便用他最擅长的心理战术再次进攻。

听吴哲提及夏莹莹，潘高峰脸色再次突变，怒道："你不问我，我还正想告诉你这个贱人的事情呢。"

吴哲面色冷峻："把你的话说清楚，不要含糊其词。"

潘高峰已经血灌瞳仁，双眼通红的他就像是一个恶鬼，恶狠狠地说："哼，一开始我也纳闷，我最近根本就没有受伤，我的血怎么会跑到潘岩的嘴里，血是从哪来的？后来我想通了，我只有在一个星期前公司体检时被抽血化验了一次，只有那次有可能。哼，就是夏莹莹这个贱人，是她，一定是她，她将我们医务室抽血化验的血给了她的奸夫陈升，陈升在杀死潘岩后，将血倒进潘岩的嘴里，以此来嫁祸我！"潘高峰越说声音越大，最后他几乎要爆炸了，"还有，还有监控录像，我原本打算作案时关闭监控录像，结果陈升说什么，关掉录像会显得不自然，还说他有把握在不关监控的情况下不被人发现，原来他不让我关监控就是为了嫁祸给我！这对狗男女，这一定是他俩预谋好的，骗了老子的钱，还要害老子的命，妈的，我要不弄死他俩我就不姓潘！"

"啪"的一声，拍桌子的声音，是吴哲，他怒吼："潘高峰，这里是公安局审讯室，你嚷嚷什么？"

潘高峰不理会吴哲，他只是冲着吴哲大吼："我要见我的律师，我要见我的律师！"

"好，见律师是你的权利，你可以见。但是你要先交代清楚案情。"

"吴警官，我见到律师后，会将全部案情交代清楚，我保证。"

吴哲不能阻止嫌疑人见律师。

而潘高峰在见律师前又一次申请去了趟卫生间。

半小时后，潘高峰的律师刘律师再次来到了审讯室，二人在警察的监视下会面了。

"潘主任，叫我来有什么吩咐？"

潘高峰面色阴沉，他做了个吸烟的动作。刘律师心领神会，掏出了那个香烟盒，递给了潘高峰，一张小纸条顺势被潘高峰塞了进去。

潘高峰抽着烟，说："假如我出不去，我的财产就委托你捐给贫困山区的孩子吧。"

"潘主任，不要太悲观，我会想尽一切办法为您辩护的。"

"刘律师，我想问你件事。"

"什么事，潘主任？"

"你做律师有没有因正义和邪恶的选择困惑过？"潘高峰很认真地问。

刘律师愣了一下，他没有料到潘高峰会问自己这样的问题，他笑了笑，答道："拿人钱财替人消灾，天经地义，对我来说无所谓正义、邪恶，纠结于正邪那是小孩子思考问题的方式，我不会。"

潘高峰听罢，微微一笑，挥了挥手："你抓紧去做事吧。"

"知道，您自己保重。"

刘律师出了公安局，打开那张纸条，看到上面的指令，然后，他拨通了马站立的电话："小马，潘主任吩咐你……"

< 三十四 >

17日晚上十点。潘高峰见过律师后，吴哲立刻再次审问了他。

审讯室中，潘高峰神情平和，很奇怪，在他见到律师以后，这个曾经叱咤风云的人物现在出奇地安静，就像是一个剧烈运动后耗尽了气力的野兽，颓然坐在那里。

潘高峰恢复了他特有的男中音："吴警官，好好好，年纪轻轻，思维敏捷，素质过人，潘某佩服。"说着，他缓缓吐了口气，继续说，"事到如今，我再也无法全身而退了，哼，我原本就是一个没人要的人，生死对我而言本就无所谓。你问吧，我把我知道的全都告诉你。"

吴哲忽然发现，褪去了威严外表的潘高峰，此刻更像是一个看透世间、历尽沧桑的人，他很淡定，中年男人的魅力在他身上体现无遗。

吴哲问道："你是怎么杀死潘岩的？"

"杀死？是的，杀死。但是你的主语用错了，不是我杀死的，而是别人杀死的，我只是幕后主使者。"

吴哲和韩景天对视一眼，两人心领神会：案情就要真相大白了。

"你说你只是幕后主使？"

"对，是我派人杀死了潘岩，我承认。但我不是凶手。"

"你为什么要这么做？"

"原因你都说了，就是为了潘氏地产的继承权，他要公司抛弃地产业，搞什么狗屁新能源，我为了保住我爹辛苦打下的江山，必须杀死他。"潘高峰没有一丝悔意。

"从什么时候开始有这个计划的？"

"就是那次董事会之后不久，我就下了决心。"

"你派了谁做杀手？"

潘高峰看着吴哲，轻蔑一笑："还能是谁？就是那个投案自首的陈升啊！"

韩景天一愣，吴哲却不动声色，他继续问："把详细经过交代一下。"

"我打算杀潘岩，就开始物色合适人选。陈升，我们公司的职员，这个人刻板守纪律，身材健壮，做事仔细认真，我留意他很久了。便主动找到他，要他去做这件事，他答应了。"

"可是，为什么选陈升？用你的亲信，比如马站立不是更合适吗？毕竟陈升是一个外人。"

"哼！警官，我用的就是外人，如果用马站立，事情一旦败露，我也脱不了干系啊。我原来的计划可是既杀死潘岩，又不牵扯到我自己啊。"

"即便如此，你也完全可以找职业杀手，何必找一个职员呢？"

"理由很简单，因为我希望找一个不起眼的笨家伙去做，这样便于我掌控全局。"

吴哲察觉到了潘高峰的虚伪，他直截了当地戳穿了谎言："你说的不对，你其实是希望陈升为此丧命吧？"

"什么意思？"

"因为陈升的女朋友，夏莹莹。"吴哲盯着潘高峰，"你和夏莹莹关系亲密，你找陈升杀人，是一箭双雕。"

潘高峰淡然一笑，说："是又怎样？不是又怎样？事到如今，这还重要吗？我如果告诉你，我找陈升杀人纯粹是出于偶然，你相信吗？或许你不信，我也没办法。"

吴哲说："你说得对，不管是出于什么原因，你毕竟是找了陈升去杀人，而且他答应你了。那么我再问你，你是怎么找到陈升的，他又为什么会心甘情愿为你卖命？"

"警官，这世上还有钱办不到的事情吗？想让他卖命并不难，我听说他缺钱，买不起房子，我给了他一百万作为首付。呵呵，对于一个每月挣不到六千元的人，这可是他十几年的收入，他怎么会拒绝我呢？"

"嗯。"吴哲鼻子翕动了一下，顿了顿，继续问道，"潘高峰，这件事情即便如你所说，不是你亲手杀的潘岩，可是大量证据已经表明，你肯定极大程度地参与了谋杀案，没有你的鼎力协助，凶手就无法完成谋杀。为了让案情真相大白，也为了让你自己洗脱亲手杀死亲弟弟的罪名，把你所有知道的情节全部交代吧，不要再隐瞒了。"

"警官，我说过了，我会交代的。"

潘高峰摸了摸身上，想要找烟，身上的衣服早不是自己原本的那件。吴哲则顺势将一包早就准备好的香烟掏出来，抽出一支，亲自为潘高峰点燃。潘高峰点了点头，表示感谢，他看了看烟身——"中南海"，苦笑道："年轻时我没有钱，就是抽这个牌子的烟，这么多年了，没想到在这个场合由你一个警察给我这种烟，真是对我人生的讽刺。"

吴哲问："既然你说你雇用了陈升杀害潘岩，那么陈升到底是怎么作案的呢？"

这一次，潘高峰面对吴哲的询问没有任何辩白，他答道："杀潘岩，我是主谋，我出钱，找人，但是，整个案件却不是我策划的。"

"哦？不是你策划的？那是谁？"

"是陈升。"

"又是他？"

"对，就是他，从策划到实施都是他一手完成，我所做的一切也都是他要求我做的，他答应我，只要我按照他的计划行动，就不会有隐患。"

"他要求你做什么？"

"首先，他要我约潘岩2月15日下午六点在北区东北角见面，就连具体的见面地点，也就是潘岩死的那个地方，都是陈升安排的；其次，他让我在案发当天不要离开C市，理由是他认为潘岩的手机有显示号码所在地的功能，他怕潘岩若和我联系时发现我在外地而导致计划失败；最后，他让我将一百万元直接打进他指定的账户。"潘高峰很有条理地说着。

"你都照办了？"

"是的，我听了他的计划，觉得是一个巧妙的谋杀方案，便答应了。我先是按照他的要求约潘岩见面。我告诉潘岩，要和他谈公司改革的事情，只有我们兄弟俩去，只要诚心相见，我就同意支持潘岩的改革方案。正如陈升预料的，潘岩没有拒绝我，他一个人来了。"潘高峰不停地抽烟，"然后我取消了去外地的计划。我原本打算在案发前离开C市，这样我就彻底没有嫌疑了，可就是因为陈升的这个要求，我没有出去。实话告诉你吧，我连机票都订好了。"

"这个我们已经知道了，AB公司航班，去广州的，头等舱座位第10排，可是你没有去机场。"

潘高峰淡然一笑，说："果然厉害，吴警官，我发现我真的有些佩服你了。"

吴哲没有理会潘岩的赞誉，又问："钱呢？你把钱给陈升了吗？"

"我这个人言而有信，当然给了。"

"如果我没有猜错，你是17日，也就是今天早晨才将钱打给陈升的吧？"

"咦？"潘高峰再次震惊了，"你怎么知道的？这件事除了陈升和我，没有第三个人知道，难道是他告诉你的？"

"你先别问我，回答我，是或不是。"

"是，我是在17日将钱打给他的。"

"潘高峰，如果按照你们的约定，在潘岩被杀死后你就应该将钱给陈升，为什么拖了一天？"

"我是担心案子会有意外，我在观察，我想等确实案子有了结果，保证与我没有关系以后再把钱给他。"

"既然如此，你又为什么会在17日突然将钱给陈升呢？既然观察了，也不差几天，按照你的思路，你为什么不等案子有了结果再把钱给陈升呢？"

潘高峰答道："还是因为陈升，他在16日通过我的律师主动跟我联系。他对我说，如果我马上将钱给他，他就主动投案自首，并保证不牵扯到我。我就答应了他的要求，我告诉他，只要他投案自首，我就立刻将钱给他。"潘高峰顿了顿，又说，"恰巧那时候你们发现了潘岩手机的通话记录，你们已经开始怀疑我。这一点也迫使我同意陈升的要求。"

"电话记录，对，这个问题你也交代一下吧。"

"这个事情是我安排马站立做的。"

"马站立为什么会出现在案发现场？根据我们掌握的情况，他在一段很短的时间里接近了潘岩，他去做什么了？"

"是我安排他去小区北区的，目的是为了确保万无一失，一旦陈升失手，或者有其他变故，马站立就是最后的保险。他的任务就是协助并监视陈升。至于他接近潘岩，也是我让他这么做的，我让他去确认潘岩是否死了，顺便将其手机拿走，因为那上面有潘岩临死前给我打电话的记录。"

"是你当时打电话通知马站立，让马站立去拿手机的吗？"

潘高峰一愣，随即明白了："看来你们是看了监控录像吧？"

"回答问题。"

"是的，就是我打电话通知他这么做的，当时潘岩忽然给我打电话，这是我没有料到的，我没有接，直接挂断了，我知道这个通话记录肯定会引起警察对我的怀疑，因此我立刻通知马站立，让他等潘岩死后拿走手机，我原本以为只要没有手机，挂断电话的记录你们就查不出了，可谁知道现在的科技竟然发达到这种程度，没有接的电话也能查出来。"

等潘高峰说完，吴哲又问："你派马站立去现场，除了监视陈升和处理证据，恐怕还有一层意思吧？"

潘高峰将手中仅剩一点的烟蒂猛吸一口，干笑了一声："呵呵，吴警官，事到如今你不妨直说你的判断吧。"

"我审问马站立，最后我将矛头指向你，很意外，他有要主动承担罪名的意思。另外，我第一次审问你的时候，你也有意将罪名推给马站立。我猜想，你派马站立去现场除了处理证据，还有一个目的，就是在万不得已的时候用马站立顶罪，由他扛下所有罪名，使你能置身事外。是不是这样？"

潘高峰点了点头，答道："吴警官，你的推理能力和判断能力果然非凡。你分析的一点都不错，我之所以派马站立去现场就是这个目的。这是个备用方案，第一，我担心陈升无法得手，杀不死潘岩，那就由马站立出手；第二，我担心事后陈升不受控制，牵扯到我，那样的话，就由马站立承担所有罪名。"

"可惜，"吴哲摇着头说道，"假如马站立在案发现场多停留几分钟，假如没有陈升的投案自首，我或许真的就会把马站立当成杀人凶手。可你机关算尽，却没有想到，马站立的出现恰恰让我们将排查重点指向了你，毕竟，他是你的亲信。"

"不，吴警官，我的失误是，我没有想到会遇到你这样精明的警察，另外……我也没想到我手下的一个职员会有这么高的智商，哼，设下如此精妙的局，同时还算计了我。"潘高峰说到这里，忽然情绪又开始激动，他提高声音问道，"吴警官，我现在最想知道的是，既然陈升已经投案自首，你们为什么还要抓我？你们抓了我，陈升就能被无罪释放吗？"

吴哲没有回答，他回答不了潘高峰的问题，因为他还没有把握潘高峰所言是否属实，而陈升又会被如何定罪。

吴哲挥了挥手，打发走了潘高峰。

潘高峰直到离开审讯室大门还高呼着："吴警官，你如果放了陈升，我死也不会原谅你！"

吴哲心中感慨：潘高峰得势的时候做梦也不会想到，自己手下一个名不见经传、几乎可以被他忽视的小人物，有一天会让他刻骨铭心、不共戴天！

潘高峰走后，吴哲静坐在原处，一言不发，他就这样坐着，眉头紧锁，姿势不变，足足十几分钟。

韩景天实在看不下去了，便问："学长，你怎么了？"

吴哲将身子重重地靠在靠背上，仰望天花板，喃喃自语："应该是这样的，可是……不对，还是不对。"

韩景天插话道："学长，案子已经很清楚了，通过潘高峰的交代，我认为可以结案了。一切都合情合理，与我们掌握的情况也基本吻合。我认为，就是潘高峰雇用陈升杀死了潘岩。"

吴哲仍仰着头，像是在自言自语，又像是在回答韩景天："证据，证据不足啊。其实刚才若不是潘高峰精神防线崩溃，我们也没有足够的证据定他的罪。他只要抵死不认那血是直接从他身上流出来的，我们其实没有办法证明他是凶手。"

韩景天不解地问："可是学长，刚才你不是说那血有可能是搏斗中从口腔鼻腔中喷出来的吗？"

　　"嗨，那仅仅是推测，潘高峰身上没有一点被咬的痕迹，这其实是一个最大的疑点，也是凶手最大的漏洞。"

　　韩景天发觉吴哲的话太过高深，他索性不再沿着吴哲的思路说，换成了自己的话题："学长，刚才那一幕其实挺可笑的。"

　　"怎么了？"

　　"你没发觉你攻破潘高峰心理防线的手法很像周星驰主演的那部《九品芝麻官》里面的手段吗？最后滴血认亲，血融合了，罪犯大惊，不得不说出实情，但实际上，那血根本不是罪犯的血啊。学长你不会是受了电影的启发吧？"

　　吴哲丝毫没有笑意，他说："小韩，你只说对了一半。潘高峰因为这些血被迫认罪是真的，但这可不是我主导的。"

　　"啊？不是你？那是谁啊？"

　　"是凶手本人！"

　　"啊？凶手？"

　　"不错，凶手之所以这样做就是为了嫁祸给潘高峰，好让他自己逃之夭夭。"

　　"你是说凶手故意设局陷害潘高峰吗？"

　　"不然的话凶手何必大费周章，将潘高峰的血倒在潘岩口中？而且，"吴哲说着，脸色越发阴沉，"我如果猜得没错，凶手早就料到了我们今天会侦查到这一步，我们至今为止所走的每一步，都在凶手的计划之内！我们蹦跶半天，几乎没有跳出他的手掌心！"

韩景天目瞪口呆。

忽然，吴哲猛地坐直，然后站起身，说："我要请示薛队，再审陈升。"

＜ 三十五 ＞

2月18日凌晨一点，吴哲拨通了薛万彻的电话，电话那头传来薛万彻的声音："吴哲，什么事啊？"

"薛队，您在哪儿，我要向您汇报案情，并申请再审陈升。"

"我在家，你来吧。"

"是。"

吴哲带上韩景天，直接前往薛万彻家。薛万彻家住在公安局家属院，距离市局只有几百米，步行十分钟就到了。

来到薛万彻家，薛万彻的夫人打开了房门，对吴哲说："最近案子太多，你们薛队已经三天三夜没有合眼了，今晚刚回来睡一会儿，你还是先等等吧。"

吴哲和韩景天只得坐在客厅等。

然而，他们刚坐下，薛万彻就从里屋走了出来。薛夫人嗔道："你个老头子，怎么又起来了？不要命了？"

薛万彻摆了摆手，示意她去里屋，薛夫人只得不情愿地离开了。

吴哲和韩景天不好意思地说："薛队，我们不该这么晚打扰您。"

薛万彻又摆摆手，说："案子要紧，你们做得没错。"

薛万彻拿出茶具，煮水沏茶。

吴哲看着房子四周，说道："薛队，这房子有年头了吧？"

"这是我1989年进入市局时分的房子，那时候房价低，也没在意，现在这个位置的房子能卖到五万一平方米了。"

薛万彻将茶沏好了，倒了三杯，点燃一支香烟，问吴哲："说吧，你们的调查审讯进展如何？"

吴哲简明扼要地将对潘高峰审讯的结果汇报给了薛万彻，薛万彻抽着烟，静静地听着，时不时地点头。

最后，吴哲说："薛队，我认为潘高峰供述的应该是事实，综合各方面情况和证据来看，基本可以断定，就是陈升杀了潘岩。"

"你打算怎么办？"

吴哲犹豫了片刻，轻叹一声，说："我不知道。"

薛万彻一皱眉："什么叫你不知道？"

"薛队，虽然我认为陈升是凶手，但是，我们现在没有掌握足够的证据。"

"说一下情况吧。"

"现在有三点我们尚未查实，第一是陈升的不在场证明，在香樟园小区售楼部的《访客登记簿》上，有陈升的签名；第二，假如是陈升盗取了潘高峰体检抽的血，他是如何盗取的，有没有同谋；第三，作案过程存在巨大缺失，陈升是如何在短短十几分钟里从南区到北区实施作案的。这三点若不能查实，就难以给陈升定罪。"

"对这三点你打算从哪里下手侦破？"

"第一点，我猜测是陈升用了某种方法造假，也就是说15日那天他根本没有去过售楼部，这是一个假的不在场证明；第二点，如果潘高峰说的是真话，那么我怀疑陈升可能有同谋，是有人将潘高峰的血给了陈升；第三，这个……这个是最难解释的，但是，我还是想到了一点线索，只不过这一点需要我亲自去证实。"

薛万彻听着，叹道："好厉害的设计啊。小吴啊，假如你的这个同学真的是整个案件的策划者和实施者，那他真算得上是一个高智商罪犯的典型了。这三点至今都难以用证据证实，真是'完美犯罪'啊！"

吴哲叹了口气："现实中本不存在'完美犯罪'，但是，罪犯若能逃脱法律的制裁，那就是'完美犯罪'了。这个案件的作案者几乎没有破绽，与此同时，他还成功地借刀杀人了。"

"你的意思是他借公安局的刀杀潘高峰。"薛万彻对吴哲的分析心领神会。

"正是，从目前的情况下，陈升就是要嫁祸给潘高峰。"

"不得不说，要不是遇到你，他几乎成功了。"

韩景天听到这里，情不自禁地倒抽一口凉气，感慨道："我的天哪，这个人的智商得有二百八吧。"

薛万彻将茶杯举起，他抿了一口茶，对吴哲说："所以你打算将主要精力放在陈升身上？"

"是。"吴哲回答着，神情黯然，显然他心中有顾虑。

薛万彻放下茶杯："小吴，我看出来你有心事，说出来吧。"

"薛队，这案子走到这一步，是我一手侦查的。但是，我很矛盾，凭着现在的证据，假如我不深挖，完全可以只定潘高峰的罪，可正是由于我的深挖，才让陈升陷入了麻烦。潘高峰其实是罪魁祸首，这种人死不足惜，可是陈升……我和陈升的关系想必您也知道些，他是个好人，我很矛盾……"

吴哲和盘托出了自己的顾虑，他是站在陈升的角度责备自己，是啊，如果从这个思路出发，陈升本可以逃脱法律制裁，是吴哲硬生生把他拽回来，亲手判了他刑。

薛万彻点了点头："我早就料到你会面对感情关。小吴，你刚才说潘高峰死不足惜，又说陈升是好人，我问你，做警察破案是靠着道德来衡量一个人犯的罪吗？"

"薛队，您说的这些我都明白，可是我……"

薛万彻摆了摆手，打断了吴哲的话："小吴，我们警察也是人，也有七情六欲，有时难免会被感情影响。但是，法律是公平的，我们警察破案，不能被感情左右。这件事任何人也帮不了你，你必须自己克服自己的感情关。我送你一句话，这句话也是我的老师送给我的，'战胜敌人容易，战胜自己却不容易'，我相信你会明辨是非的。"

薛万彻说着，轻叹一声站起身走到吴哲身边，低声说："小吴，这个案子关系重大，上级领导很重视，我和局长现在都顶着巨大的压力，这个案子我交给你，希望你能圆满侦破，你懂这个意思吗？"

吴哲咬了咬牙、挺了挺腰，答道："我懂。"

从薛万彻家里出来，韩景天鼓足了劲对陈升说："学长，你的这个同学如果真是杀人凶手，那他也真够厉害的，不过你更厉害，他遇到你也算倒霉。"

吴哲脸色很难看。韩景天立刻意识到自己说错话了，他连忙支吾道："呃……我们直接去提审陈升吧。"

"不，"吴哲否定了韩景天的建议，"在提审他之前，我们还要去一趟香樟园小区，只有证实了我的那几点猜测，我们才有机会让陈升招供。"

"可是，我们应该怎么调查呢？"

"小韩，侦破这类案件有个技巧。"

韩景天立刻像学生一样，一副洗耳恭听的神态，说："学长，请说。"

"就是把自己换成犯罪分子的身份，换成是你自己作案的话，你会怎么做？"

"这个……"韩景天努力地将自己换成陈升，希望能发现什么，但是，最终他放弃了，不好意思地笑了笑，"嘿嘿，想不出来。学长，你想到什么了？"

"嗯，我倒是想到了一些，如果我是陈升，我一定会这么做……不过，现在我的想法还是猜测，还是要去香樟园小区获得证实。"

"那咱们明天一大早就去吧。"

夜晚的市公安局，吴哲办公室内，依旧灯火通明。

韩景天已经躺在沙发上睡着了，他困坏了。

吴哲仍没有睡，他将一面黑板拉到自己的座位前，在上面不停地写着画着。潘高峰的照片、潘岩的照片、陈升的照片、马站立的照片被贴在了上面。

吴哲一边写着，计算着，一边低声嘟囔着："14日先来了，15日下午六点进来，直接去那里，三分钟穿越，三分钟等人，五分钟作案，三分钟再回来，前后也不过十四分钟，这应该就是你的'完美犯罪'吧。老同学，明天咱们就可以见分晓了。"

18日早晨七点，天刚亮。吴哲就叫醒了韩景天。

韩景天揉着眼睛坐起来，他发现吴哲已经精神抖擞地穿戴完毕，准备出发了。韩景天不禁暗叫：学长是不用休息的机器吗？

当韩景天用十分钟时间收拾好自己的着装，准备跟随吴哲直奔香樟园小区的时候，他看到了那面画得乱七八糟的黑板，以及钉在黑板上的一张字条，"伪造的签名+地下排水系统"。

< 三十六 >

看守所中。

中年男子说："老弟，我刚才一直在想一个问题。"

"哦？怎么，你发现什么问题了吗？"

"不在场证明是可以造假的啊。"

陈升看着中年男子，露出了不可思议的表情。

中年男子摸了摸自己的脸，笑道："老弟，我脸上有什么，你这么看着我？"

陈升忽然哈哈大笑起来："哈哈哈，老兄，真没看出来，你对于破案还有一手，佩服佩服。"

"哪里哪里，我只是被你的故事吸引，陷入其中，自然就想得多了点。"

"不错，不在场证明确实可以造假，但是，时间却无论如何不能造假。"

"时间？"

"对，时间。警察即便证明了我朋友的不在场证明造假了，可当他们发现我朋友绝无作案时间的时候，他们又能如何呢？只能乖乖地把我朋友放了。"

"你说的时间问题，能具体解释一下吗？"

"凶案发生时，潘岩之死的案发地点距离我朋友所处的位置直线距离约有百米。但是，中间隔着一道无法逾越的高墙，要从案发地到我朋友所在地，需要绕行，而绕行的时间最少要十分钟，来回就需要二十多分钟，而且，无法避开监控。但根据监控录像显示，我朋友可能利用的作案时间只有不到二十分钟，也就是说，我朋友根本没有作案的时间。"

中年男子抓耳挠腮，一脸的"难以理解"。

< 三十七 >

去香樟园小区的路上韩景天饶有兴致地问吴哲："学长，你的这个同学陈升到底是一个什么样的人，你能给我说说吗？"

吴哲看了看韩景天，微微一笑，答道："他嘛，他是个有意思的家伙。"

"嘿嘿，能让学长觉得有意思的人一定不简单，说说，他到底怎么样？"

"他是一个让我高中三年都没能拿到第一的人。"

"什么意思？"

"这还不明白？我的学习没他好，他总拿第一，我就只能拿第二了。"

"哦，果然他的智商很高啊。"

"不但智商高，这家伙还很讲义气。我和他是好朋友，有一次我被外校的学生欺负，被十几个人围住，这家伙恰巧遇到，他二话不说，上来就和那帮人干起来了，后来他伤得比我还重。"

韩景天有些不解地问："可是学长，我见他这几次也没觉得他有多厉害，反倒觉得他有些胆小怕事，不像是你说的那种人啊。"

吴哲望着车外，长吁一口气，若有所思地追忆道："虚负凌云万丈才，一生襟抱未曾开。当年我俩年轻气盛，我曾问他将来打算做什么，他自豪地说要做世界顶级的设计师，为中国设计出世界级的地标性建筑。可现在，他却倒在了自己设计的楼盘之下。"

韩景天摇了摇头，他问："学长，陈升智商这么高，为人又这么好，可怎么他混得这么不如意啊？混到现在还是个小设计员？"

吴哲一时不知如何回答，韩景天的疑惑何尝不是他的疑惑……

2月18日上午九点整。

吴哲和韩景天再次来到香樟园小区南区，这一次他们直奔售楼部找陈雪。

陈雪对于他俩的到来很是意外，但她还是强作笑脸迎了过去："吴警官，韩警官，你们怎么又来了？"

吴哲的表情十分轻松，他若无其事地说："你好，陈雪，我们没有什么大事，就是来向你询问一些小事情。"

"哦。"

三人坐下后，吴哲忽然对陈雪说："陈雪，麻烦你给我倒杯水吧。"

陈雪点了点头："哦，请……请稍等。"

看着陈雪离去，吴哲迅速站起身，一把将放在柜台上的《访客登记簿》揽了过来，他在登记簿2月15日和2月19日的表格中，写上了自己的名字。

韩景天不解地看着吴哲，吴哲却将食指放在嘴唇上，示意他不要说出来。

不多时，陈雪端来了两杯水，登记簿静静地摆在桌子上，陈雪根本没有在意它是否被动过，便随手拿起来，放在了一旁的架子上。

吴哲故意多等了片刻，他喝了两口水，然后问陈雪："陈雪，我突然记不清一件事了，想问问你。"

"啊？什么事啊？请问吧。"

"我大前天来过这里吗？"

"啊？大前天？"陈雪想了想，然后坚定地答道："大前天你绝对没有来过，因为那一天是潘董被杀的日子，这个我不会记错。"

吴哲笑了笑，站起身，走到摆放登记簿的架子旁，取下登记簿，说："不，大前天我来过。你看这里。"

吴哲将登记簿打开，翻到大前天，也就是15日那页，摆在陈雪面前。陈雪看到，在15号下午六点到七点的那一栏，赫然写着吴哲的名字，是他的亲笔签名。

"这？"陈雪愣了，她看着吴哲，一脸困惑。

吴哲又说道："我不但大前天来过这里，我明天也来过这里。"

"啊？你到底在说什么啊？"

吴哲又把登记簿翻到"明天"，也就是19日那页。在尚未到来的次日下午六点那栏，吴哲的名字已经写在了上面。

　　陈雪就像是被人灌醉了，一脸茫然地看着吴哲，似乎吴哲的脸上有哥德巴赫猜想要让她证明："吴警官，我不懂，这……这是什么……什么意思？"

　　吴哲指着自己的名字对陈雪说道："你们潘氏地产号称管理严格，但依我看却漏洞百出。我的这两个名字是趁你刚才去倒水的时候写上去的，你们依靠这个登记簿判断客人什么时间来到这里，但是如果这个登记簿都不靠谱，那岂不是等于给人做假证吗？"

　　听着吴哲话里有话，陈雪摸不着头脑，她愣了半晌，惶恐地看着吴哲，不知道该说些什么。

　　吴哲知道，靠这个女人的智商是无法明白自己所指的意思，便索性向她摊牌："陈雪，我再一次问你，陈升15日那天下午六点到底来没来你们售楼部？"

　　陈雪兀自怔怔的，等吴哲第二次高声问她，她才反应过来："啊？陈升？15日？他……他来了啊，登记簿上不是有他的签名吗？"

　　"我问的不是登记簿，我问的是事实。"

　　"事实？我不懂。"陈雪脑子快炸了，她要疯了，"哎呀，你到底什么意思？我搞不懂你在说什么。"

　　"陈雪，我告诉你，我刚才写的两个名字，一个是我根本没有来过的15号，而另一个是明天19号，换句话说，陈升也完全可以趁你们不在意的时候，在任何一天签下自己的名字，自然也可以在15日之前提前签上自己的名字。陈升很有可能用了和我同样的手法，他在15日的前几天在登记簿上签上自己的名字，然后以此来伪造自己15日来过售楼部，你现在懂了吗？"

"伪造？不，不会，不会，我们管理这么严格，他没有机会伪造。"谈及自己失职，陈雪像是遇到了瘟疫，连忙避开。

"严格？"吴哲不屑一顾，"我刚才是怎么伪造的，陈升也能这样做。"

"不，不不不，刚才那是唯一一次失误，而且那是因为你是警察，所以我没有防备，若是别人，我绝不可能失误。所以陈升不可能作假。"陈雪表情惶恐，但态度却异常坚定。

这让吴哲大感意外：这个女人怎么这么固执，不承认自己的失误？

而接下来陈雪说的话让吴哲明白了她如此固执的原因，只见陈雪在顽强抵抗了三分钟后，低声哀求吴哲道："吴警官，看在我给你房子打折的份儿上，千万别把今天的事情说出去。我们公司有严格规定，一旦发现我有这样的失误，我会被炒鱿鱼的。真的，求求你千万别说出去，你问什么我都会配合，唯独这件事，千万不能说，你说了我就丢饭碗了。而且……而且不管怎样，我是不会承认我的失误的。"

吴哲心中暗道：原来如此，陈雪是怕她的失误牵连自己的工作，因此拒不承认陈升靠登记簿造假这件事。这一来就麻烦了，陈雪不承认，登记簿上陈升的签名又无法被证明是提前造假的，那么这岂不是拿陈升没办法吗？

吴哲本打算再劝劝陈雪，但看到陈雪一副"宁死绝不承认"的样子，他还是放弃了，看来是不能指望这个女人做证了。不过总算有收获，售楼部的管理漏洞已经被自己证实，陈升不管是用什么办法，总之他是可以造假的，这一点被证明就足够了。

吴哲此时选择了离开，因为此时在他心中有一个更加紧迫的事情要去调查。他问陈雪："陈雪，请问你们小区的排水系统入口在哪？"

"排水系统？哦，你是说地下停车场吧，陈升原本设计的那个？"

吴哲不耐烦地追问："就是那个，告诉我，入口在哪？"

陈雪看吴哲急不可耐的样子，忙答道："在……在楼下，负一层，走楼梯就能到。"

吴哲心中暗呼：果然是这样！

他腾地站起身，冲出屋外。

韩景天叫了声："学长！"

陈雪看着吴哲离去，终于长呼一口气，庆幸道："总算是走了。"

吴哲快步直奔楼梯。

吴哲步伐极快，韩景天用小跑才能跟上，他边追边问："学长，什么事情这么急啊？还有，我听你刚才的口气，你已经断定凶手就是陈升了？"

"暂时还不能断定，但是……"吴哲咬了咬牙，终于说出了这句话，"但是也八九不离十了，杀死潘岩的人应该就是他……"

韩景天摇头道："学长，陈升不是在售楼部吗？他没有时间作案啊。"

"小韩，这个小区的办公楼，从一楼大厅到二楼的售楼部，签名，再下来，最快也要将近十分钟。这个宝贵的十分钟就是陈升要制造假签名的原因。可以这样比喻，陈升用这个手法将十分钟时间从这个世界上带走了。这样他就有了充分的不在场证明，同时也可以掩盖他神奇穿越小区南北区的事实。"

韩景天努力地让自己的思维跟上吴哲的节奏。可他最终还是发现，跟不上。

吴哲又说："你再想想，他为什么连续一个月每天六点来售楼部？因为这是他计划的一部分，他每天按时来，但每次找不同的售楼小姐，或者根本不找，只是自己坐着，这样人们就习惯了他的到来，也就不会记得他哪天来哪天没来，他也就有了足够的机会制造这个障眼法。只是，我们遇到的麻烦是，由于潘氏地产严酷的管理制度，导致陈雪为了不牵连自己的工作，死不承认陈升有可能作假，这就让我们无从证明了。嘿嘿，而且我猜测，陈雪宁死不会承认这一点也是陈升计划的一部分，他就是这样细致的人。"

韩景天听着，心中一凛，天气本就寒冷，韩景天不由自主地打了一个寒战，感慨道："学长，如果真如你分析的，那么你这个老同学就太厉害了。"说着，韩景天凑到吴哲身边，问，"不过学长你又是如何猜到陈升的手段呢？"

"很简单，还记得我昨天对你说的话吗？你要站在凶手的角度去考虑，换作你是凶手，你会怎么做？我假定陈升是凶手，那么他以登记簿签名为依据的不在场证明一定是假的。案发当天他并没有来过售楼部，既然没有来过，那么这个登记簿的签名就一定有问题，一定不是他当天签上去的。既然不是他当天签的，那就只可能是在别的某一天签上去的。我只需要证明，他可以在不被售楼部工作人员察觉的情况下在任意一天签下自己的名字就可以了，而我刚才恰恰证明了这一点。所以，我至此基本可以断定，陈升就是用了和我类似的手法造假的。"

韩景天对吴哲的分析佩服得五体投地，本打算狂赞一番。但是，忽然间他想到了什么，便摇起了头，说："不对不对，学长，即便陈升没有去售楼部，但他在南区办公楼里逗留十几分钟总不会错，期间从没有出去过，他怎么可能绕到北区作案再返回来呢？"

吴哲看了一眼韩景天，意味深长地说："他用了一种神奇的方法。"

"神奇的方法？"

不多时两人便来到一楼的楼梯口，吴哲在楼梯角停下来，瞅了瞅四周，楼梯内侧有一道铁门虚掩着。这就是通往地下排水系统的入口了。

吴哲打开铁门，俯瞰下去，铁门下面还是楼梯，绕了几道弯，直通地下。地下有几盏灯照着，略显昏暗，但还是能看清情况。

吴哲迈步走下楼梯，缓缓走入了地下的巨大空间——这里曾经是陈升设计的排水系统，即将改造成大型停车场。

韩景天看吴哲义无反顾地走进地下，也只得硬着头皮跟了过去。

阴暗潮湿的地下光线越发昏暗，四周空旷，这是一个高达五米多，方圆足有一个足球场大的地下空间。

"哇！"韩景天下到下面后不禁感叹道，"想不到，这个小区下面还有如此宏伟的工程呢。"

吴哲则心中一颤，那是对自己朋友的心血即将付诸东流的感伤。这里如果能如陈升希望的那样成为优秀的排水系统该多好啊，可惜，这里即将变为商业停车场。

韩景天看着看着，忽然，他想到了吴哲钉在黑板上的那张字条，终于，他意识到了吴哲的用意："啊，学长，你是怀疑陈升从地下穿越南北区？"

吴哲看着四周，表情依旧严肃："难道不是吗？只有这样能解释通他是怎么在不可能的时间内完成了一系列犯罪，然后悄然离开。"

"可是，你是怎么知道这里的排水系统的啊？"

"是陈升以前告诉我的，这是他最得意的设计，他向我说起过。"

韩景天恍然大悟："哦！原来如此！那我们快找到地下通道吧。"

吴哲辨别了一下方向，将手指指向了北边，然后径直走了过去，边走边说："快来，应该就在前面。"

快要走到尽头了，前面出现一堵长长的水泥墙，吴哲收拾心神，他胸有成竹地说着："小韩，你看吧，如果我没有猜错，前面这堵墙上应该有穿过去到北区的门或者暗道，如果真是那样，这个案子基本就可以完结了。"

韩景天狠狠点了点头，兴奋地应道："嗯，魔高一尺道高一丈，到底还是学长赢了。"

北面的墙是一堵用钢筋混凝土灌注的密不透风的墙，吴哲估算了一下墙的位置，他判断出：这堵墙与地面上那堵隔开潘氏地产南北区的墙是重叠的，换言之，这堵墙的南边是自己所在的南区地下空间，而这堵墙的北面是北区的地下空间，这堵墙就如同地面上的墙一样，将小区地下的南北空间完全分隔开了。

吴哲仔细地查看着这堵高大绵延的水泥墙，希望找到通道。

他不留一点死角地仔细查看，他看到墙上面时有裂痕，时有缝隙，但是，那只是细小的裂痕，最大的几厘米的缝隙连三根手指也放不进去，更不要说通过人了。

从东到西看了一遍，没有通道！更没有暗门！

吴哲不甘心，又用了整整一个小时沿着长墙反反复复看了几遍，结果竟然是——毫无破绽！

是的，吴哲满怀信心破解案件的最最关键点，被残酷的现实击碎了，既没有通道也没有暗门，陈升绝无可能在这面钢筋水泥墙里面完成南北区的穿越！

这一下，令吴哲陷入了一筹莫展的尴尬境地。

他怔怔地站在高墙面前，纳闷地自言自语："难道陈升不是从这里穿过的？如果不是，那他又能从哪儿过去呢？地面上？不可能，那里监控林立，一只鸟飞过也能被拍到。若是从正门绕就更不可能了，时间根本解释不通。"

除此之外还有什么方法吗？想不出了。

真是怪了，难道凶手不是陈升，而是另有其人？不！不会，一定是他。

可是。

陈升这家伙到底是怎么做到的呢？

＜ 三十八 ＞

2月18日。

中午十一点。

吴哲从香樟园小区南区的地下排水系统出来以后，略显沮丧地直奔潘氏地产医务室，他本打算找夏莹莹询问一下情况，但是，医务室的门紧锁，夏莹莹不在。吴哲倒也不是太急于找到夏莹莹，因为相比夏莹莹，方才在地下的遭遇更令吴哲担心。

吴哲陷入了绝境。

原本应该顺利找到的证据却被发现是不存在的，事到如今，最大的犯罪嫌疑人陈升很有可能要被无罪释放。

吴哲徘徊在香樟园小区空阔的施工工地上，竟然不知该何去何从了，一生从未服输的吴哲不得不承认，他即将面临失败的危险。

然而，屋漏偏逢连夜雨，就在吴哲一筹莫展的时候，薛万彻又打电话催促吴哲速回警局，原来，李秀丽这个不速之客再次到市局闹事，她是来催促办案的。

与上次一样，李秀丽还是直奔薛万彻的办公室，她大吵大闹，逼着薛万彻破案。

吴哲被迫赶回市局，直奔薛万彻办公室。

见到正在撒泼的李秀丽，吴哲很不耐烦，但他还是耐心地向她解释道："李女士，你不要急。"

"不急？我唯一的儿子被人活活勒死了，而你们警察却破不了案，我怎么能不急？"

"案子是一定会破的。"

"哼，会破？等你们破案的时候我儿子的骨头都没有了。"

"李女士，潘岩被杀案的幕后主使者已经确认了。"

李秀丽一愣，忙问："是谁？"

"对不起，这属于保密信息，现在还不可以透露。"

李秀丽一听这话，又开始歇斯底里地号叫："你们警察办事效率太低了，我儿子死了三天，你们竟然还没有破案！"

薛万彻的脸色十分难看，吴哲则是既惭愧又无奈。

这时，薛万彻的手机响了，薛万彻看了看电话号码，他走出办公室接听了。

不久，薛万彻将吴哲也叫到了办公室外面。

薛万彻对吴哲说："刚才是局长来的电话，李秀丽已经联系了很多媒体，一旦我们今天无法破案，她就要在媒体上说我们不作为，效率低，错过了破案的最佳时机，还要去法院告我们不作为。"

吴哲有些动怒："这个女人怎么能这样？"

"小吴，时间紧迫，你有办法让陈升开口吗？"

"薛队，目前证据严重不足，而且我估计，陈升早已有准备，他是不会轻易就范的。短时间内我怕……"

薛万彻未待吴哲说完就打断了他的话："小吴，你无论如何要撬开陈升的嘴，你现在就去再审陈升，李秀丽我来应付。"

吴哲看已经无路可退，只得答应了。

韩景天听说要立刻再审陈升，也忧心忡忡，他问吴哲："学长，没有证据怎么审？更何况根据你的推测，这个案子走到这一步就是陈升策划的，他算准了每一步，这种人又怎么会主动认罪呢？"

吴哲轻叹一声，说："事到如今唯有死马当活马医了，我只有再用心理战术，只是这一次恐怕不那么简单。"

＜ 三十九 ＞

看守所中。

中年男子终于大致明白了案情，虽然他并不知道凶手的手法，但他听到如此精妙的设计，他也开始怀疑警察能不能抓获凶手了。

他问陈升："你朋友看来可以洗刷嫌疑了。可是这个案子后来如何了结的呢？故事总要有结尾吧？"

"结尾？不，结尾还差得远呢。"

"又怎么了？"

"老兄，我说了这么多，你没有发觉什么问题吗？"

"啊？我只顾着听你讲故事了，没有精力再分析了，更何况，这种复杂的案子我恐怕猜不到结局。"

"我的朋友先是投案自首，之后翻供，接着提供了充分的不在场证明，是不是很完美？很自然？"

"是啊，一个无辜的人。"

"嘿嘿，问题就在这里，太完美、太自然，恰恰就是不完美、不自然，估计警察已经开始怀疑我朋友了。"

"啊？难道……难道你朋友他……"

陈升微微一笑，说："如果我没有猜错，警察现在已经调查过我朋友的不在场证明了，他们应该还会调查我朋友的女友……"

"他们会发现破绽吗？"

"破绽一定会被发现，但是他们一定找不到证据。"

"你对你朋友这么有信心？"

"当然。"

"为什么这么有信心？"

"因为这是一件完美的艺术品，毫无瑕疵，天衣无缝。"

中年男子看着脸上尽是得意的陈升，他终于说出了埋在心中许久的话："老弟，你的那个朋友就是你吧？"

陈升既没有惊慌，也没有意外，他淡然一笑，正要说些什么。

忽然，警察来了。

< 四十 >

正午十二点。吴哲再次提审了陈升。

陈升的精神还算不错，倒是吴哲连日来的奔波和思考让他略显疲惫。

看到吴哲，陈升很轻松，他笑道："老同学，是不是要放我出去了？莹莹还在家等着我呢。"

吴哲没有笑，他严肃地看着陈升，一时竟然不知从何说起，良久，他才开口说道："陈升，你知道吗，在历史上我很佩服一个人，是一个战国人。"

陈升对吴哲忽然和他谈起历史感到意外，他饶有兴致地问："谁？"

"刺杀秦始皇的荆轲。"

"荆轲？你为什么佩服他？"

"荆轲是一个了不起的义士，为了对自己有知遇之恩的太子丹，义无反顾地勇闯龙潭虎穴，刺杀当时最有权势的人物。这难道不是一种精神吗？"吴哲说着，递给陈升一支烟，替他点燃，又说，"可是，荆轲却又是可悲的，他说到底只是历史中的一个小人物，他无法阻挡历史的车轮，更无法改变这个世界，即便他杀死了秦始皇也无法改变燕国被消灭的命运，他做的一切都是无用的，所以他又很可悲。"

陈升听出来吴哲话里有话，说："老同学，你想说什么尽管说吧，咱们之间不用绕弯子。"

"好，我就有话直说。其实你我都清楚，你就是荆轲，一个杀人的刺客，我希望你主动交代你的犯罪事实，不要做一个悲剧人物。"

"对不起吴哲，我听不懂你在说什么，你能把话说得清楚一点吗？"

"陈升，我们已经审讯了潘高峰，他供述他就是杀死潘岩的幕后主谋，而他雇用的杀手就是你，他给了你一百万。陈升，你我是朋友，我想给你个机会，你承认自己的罪行吧，争取个宽大处理。"

陈升一脸无奈地说道："潘高峰这么说你就这么信？"

"我们已经查了夏莹莹的银行账户，正如潘高峰交代，17日早晨，他转给夏莹莹一百万整，你解释一下吧。"

陈升摇了摇头，叹道："吴哲，潘高峰把钱给夏莹莹和我有什么关系？"

"夏莹莹是你女朋友。"

"她难道不能是别人的女朋友吗？"

"你什么意思？"

陈升冷静地回答说："吴哲，还记得四天前我们吃饭的时候，你对我说夏莹莹不对劲，可能被人包养了。老同学啊，我又不傻，连你都看出来的事情，我会看不出来吗？告诉你吧，包养她的人就是潘高峰，所以潘高峰给她钱是正常的，这是他们之间的事情，与我无关。"

陈升竟然知道夏莹莹与潘高峰的关系？吴哲有些意外。

吴哲继续问："可我和你吃饭的时候，你并没有告诉我你知道包养夏莹莹的人就是潘高峰。"

"我当时是知道的，可我又何必告诉你呢？"

"既然你知道潘高峰与夏莹莹的关系，你又为什么愿意替潘高峰顶罪，来投案自首呢？"

"我已经说过，我一开始是担心被炒鱿鱼，同时我也怕被潘高峰害死，他可是什么都做得出来的人。"

吴哲暗暗沉吟：陈升的回答无懈可击。

吴哲又问："你的意思是潘高峰打到夏莹莹卡里的那一百万，与你一点关系都没有？"

"当然没有关系。"

"既然与你无关，潘高峰为什么要说这钱是你要的呢？"

"谁知道他出于什么目的，或许就是想嫁祸于我，嗯，一定是他想嫁祸于我才这么做的。阴谋，这是个阴谋。"

陈升抵死不认，吴哲一时也没有太多办法。

吴哲发现在打钱的问题上无法突破，便换了个话题，又问："陈升，15日下午六点，你去潘氏地产南区做什么去了？"

"我不是都说了吗，我去售楼部看房子啊。"

"不对，你根本没有去过售楼部。"

"呵呵，吴哲，你什么意思？你自己去调查一下不就清楚了吗？"

"我就是去调查以后才断定你没有去售楼部。"

陈升一直保持微笑的表情微微一滞，反问道："你怎么就能断定我没有去售楼部？对了，我可以给你提供一个线索，我每次去售楼部都会签名，你可以去查阅《访客登记簿》，一查就知道我15日六点去没去了。"

陈升的这句话令吴哲精神一振，自己连登记簿提都没提，陈升却主动说出来，就说明了这里面有问题，自己的分析是正确的。吴哲至此终于确信，陈升在说谎。

吴哲心中很矛盾，这种矛盾伴随了他调查案件的始终，他既希望自己破案又希望凶手不是陈升。可调查的结果却是，这两种期待产生了激烈的矛盾，他预感到，结果或许会让他陷入悲痛。

吴哲说："不错，登记簿上有你的亲笔签名，我看到了，可是这恰恰是你的障眼法，这是你精心设计的不在场证明。"

"吴哲，你今天怎么了？你在说什么，我听不懂。"

"我亲自试验了一下，我看穿了你的手法，你是提前在登记簿上签上了自己的名字。你的这个不在场证明是伪造的。"

陈升脸色依旧从容，笑道："我还是听不懂。"

"我给你解释一下，你就能听懂了。" 吴哲站起身，走向陈升，说道，"潘高峰打算杀死潘岩，物色了你做杀手，你向他提出条件，一百万，他答应了。然后你开始策划整个杀人计划，你让潘高峰约潘岩15日下午六点在北区角落里见面，因为你知道那里是监控盲区。案发前，你去售楼部，趁别人不注意，在15号，也就是案发当天的《访客登记簿》上签上了自己的名字，没有人察觉。因为你从案发前一个月就开始布局，连续一个多月你每天下午六点准时去售楼部，而且每次都找不同的人，久而久之，大家习以为常，谁也不在意你，这就为你提前签名制造了条件。"

陈升默默地听着，依旧面带微笑。

吴哲走到了陈升面前，离得很近，继续说："你用一种特殊手段，从南区越到北区，杀死潘岩后，又回到南区。你六点二十五分从南区出来，作案前后用时十多分钟。另外，杀死潘岩后，你还将潘高峰的血倒在了潘岩的口中。"

吴哲将最后一句话的语气加重了，他俯身贴在陈升面前，问道："陈升，我说得对吗？"

吴哲看到，陈升的手和嘴唇在微微颤抖，脸色有些苍白，这是被道破心事的特征。

但是，这种特征只维持了不足三秒钟，陈升便又恢复了那种无辜的神态，他略显迷茫地问吴哲："吴哲，我真的不太懂你的话，你能再说清楚一点吗？"

"我说得还不够清楚吗？杀死潘岩的凶手就是你，而你所有的作案手法我都识破了。陈升，你已经山穷水尽了，认罪吧，争取个宽大处理。"

这一次，陈升的笑容有些异样了，他的笑容中既有嘲讽，更有几分得意，他就这样笑着问吴哲："老同学，既然你把话说到这个份儿上，那好，我就配合你的思路和你研究一下吧。假如，我是说假如，假如我是凶手，那么很遗憾，你有几个关键点无法解释清楚，这几个重要环节你解释不了，嘿嘿，你如何定我的罪呢？"

这句反问令吴哲心中一沉，他早就知道有几个环节没有证据，难以定陈升的罪，他之所以再审陈升，就是希望在审讯中得到一些有用的信息，并用心理战术令陈升就范，但是，陈升就像是看穿了他的底牌，根本就不上套。

相反，吴哲从陈升眼中看到的是：有恃无恐！

吴哲干咳一声，反问陈升："你说几个重要的环节没有解释清楚，你说说是哪几个环节？"

"呵呵，你现在倒反问我，真有意思，好吧，既然你问我，我就说说我的疑问。我作为一个旁观者，"陈升先将自己撇干净，然后说，"如果按照你的分析，假定我是凶手，那么我会考虑三点。第一，你说我没去售楼部，又说我是提前签了名字，这只是你的推论，证据呢？第二，你说我将潘高峰的血倒在潘岩的口中，请问，我从哪去弄潘高峰的血，难不成我是吸血鬼，趁他不备咬他一口？第三，也是最重要的疑点，我怎么可能用十几分钟从南区到北区杀人，再从北区返回南区？以南北区的距离，你觉得这有可能吗？"

果然，陈升这家伙将一切都掌控在自己的手中，从案件策划，到实施，再到如今面对警察，最后拿到钱后实现金蝉脱壳。

一个密不透风的网。

陈升就像是一个围棋高手，在开局前就算计好了每一步。

每一步他都精确计算，无懈可击。

多可怕的对手！

吴哲暗暗佩服陈升的逻辑思维能力，他心中那种惺惺相惜的感觉越发强烈，可惜了，这么聪明的人。

吴哲叹道："陈升，你还不明白吗？以当代的技术和刑侦手段，想要解答你这三点疑问，你觉得很困难吗？只要我们动用人力物力，你的这些问题迟早都会被破解。"

看着吴哲恳切的表情，陈升的眼睛低垂下来，他轻轻吁了口气。他猛然抬头，用质问的语气问吴哲："吴哲，我不明白，按照你掌握的证据，完全可以定潘高峰的罪，为什么？为什么你揪着我不放呢？"

"你真的不懂吗？你我是朋友，我是在给你机会，我不希望失去你这位朋友。"

陈升听罢，沉默了片刻，他眼神闪烁，似乎动了心，可最终，陈升还是拒绝了妥协，他猛吸一口气，将头仰起，硬着脖颈坚决地说："吴哲，我说了，你刚才说的都是你的推理，是故事，你没有证据，定不了我的罪。你说你们能查出来，那就去查吧，什么时候能查出来证据，再判我的刑吧。"

"陈升，你真的不打算交代你的罪行吗？"

忽然，陈升像是失控的老虎吼叫起来："吴哲，为什么？为什么你非要置我于死地？你为什么不肯放过我？"

陈升的忽然发难令吴哲感到意外。看着陈升充满哀怨的眼神，吴哲看到了一个绝望的男人，似乎世上的一切都对他不公，假如这里不是公安局的审讯室，他是不是要指天骂地，咒鬼斥神呢？这个坎坷的男人现在又要面对被自己的好朋友审讯的窘境，他该如何承受？

吴哲犹豫了：此时我放了陈升完全可以说得过去。

但旋即，他便打消了这个念头，他知道，他不能犹豫。

最终，吴哲硬起心肠，用低沉的声音说："我是警察。"

陈升看着吴哲，过了许久，他沉默下来，然后神情悲伤地苦笑一声，说："是了，你是警察……吴哲，刚才你说你佩服荆轲，其实我想告诉你的是，荆轲一点也不值得佩服，我也佩服一个刺客，他比荆轲值得人佩服，他叫聂政。"

"聂政？谁是聂政？"

"这个问题留待你自己查找吧。"

吴哲知道，陈升熟谙历史，自己在这一点上远不及他，索性岔开话题道："陈升，你真的打算顽抗到底吗？你有没有考虑过夏莹莹？"

吴哲再一次展开心理攻势。

这一次，陈升再次陷入了巨大的压力，又是长时间的沉默，最后，他黯然说："吴哲，我有些累了，想休息一下，你要想审问，能等我休息之后再审吗？"

　　吴哲看着陈升憔悴的面容，想起过往的青葱岁月，心中不忍，便转过身，朝身后挥了挥手，陈升被带走了。

　　这一次针对陈升的关键性审问，就这样草草收场了。

　　陈升走后，韩景天走到吴哲身边，他看了全过程，知道吴哲心里不舒服，便安慰道："学长，别难过。"

　　吴哲叹了口气，说："我这个朋友从前是个好人，我只是不明白，好人怎么会走到这一步？"

　　"学长，审问这么久，我们什么也证明不了啊，你这个同学拒不认罪，我们怎么办？"

　　"不能说什么也证明不了，至少他中间动摇了。"

　　"可是，刚才陈升说的三点疑问，我们如何解答？"

　　吴哲摇了摇头："暂时无法解答，如果动用大量的人力物力，有充足的时间，我们或许可以找到答案，但是现在时间紧迫，更何况，最近局里案子太多，也没有多余的人力物力支持我们。"

　　"那怎么办？"

　　吴哲有些无奈，说："如果按目前的情况，就算现在提交司法机关审判，陈升多半会因证据不足而被无罪释放。"

　　吴哲这种无奈的样子是韩景天从未见过的。"学长，真的一点办法也没有了吗？"

吴哲神情凝重地思考着，他竭尽所能地希望从已知的线索中找到破绽。但是他又知道，这是徒劳的，"完美犯罪"几乎就要实现，而他将眼睁睁看着杀人凶手逍遥法外。

这种复杂而矛盾的心理令吴哲陷入了旋涡不能自拔。

"没办法了吗？不，我不相信'完美犯罪'，一定会有办法的，一定会有的。"

吴哲猛地推开窗户，任由冷风吹来，他深吸一口气："陈升，我一定会有办法证明你的手法。"

"完美犯罪"本不存在，但有的凶手会巧妙地利用制度、习俗、管理、人情等漏洞，从而制造了不被定罪的"完美犯罪"。但这种犯罪毕竟只是人的行为，既然如此就不可能无迹可寻，只是有时候，这个踪迹被隐秘了，有的时候是在几个月、几年，甚至几十年、几百年后才显露出来。

那么，当这个无法抹掉的踪迹在较短的时间内显露的话，凶手的底牌也就暴露了。

就在吴哲重新厘清思路，决定重新找突破口的时候，忽然手机响了，看来电号码，很意外，是夏莹莹打来的。

吴哲接通电话："我是吴哲。"

"我是夏莹莹。"

"你好，有事吗？"

"是的，关于潘岩被杀的案子，我有重要情节向公安机关举报，不过我想先说给你一个人听。"

重要案情？吴哲预感到，这将会是案件的转折点，因为现在所有的脉络已经基本清晰，但是最关键的部分却无人证明，而夏莹莹，很有可能就是要证明这一切的那个人。他问："你说的重要案情指的是什么？"

电话那头沉默了片刻，然后她答道："我知道谁是杀死潘岩的凶手。"

这个突如其来的消息令吴哲心头一震，他忙问："夏莹莹，你能不能来市局？我想和你当面详谈。"

"我现在中央公园，你来吧，我们在这儿见。"

"好，我马上就去，你等我。"

< 四十一 >

看守所中。

陈升再次回来，中年男子看陈升这次的神情不再轻松，便猜到了一些事情。他主动走到陈升身边，拍了拍陈升的肩膀，示意陈升坐下。他主动对陈升说："老弟，这次是不是遇到一些麻烦？"

陈升面无表情，看不出任何的喜怒哀乐："麻烦总避免不了，但我有办法解决。"

"老弟，还有没有兴趣继续你刚才的故事？"

陈升昂起头，肯定地回答："当然，继续，为什么不继续呢？一切都没有到结局。"

"好，我请问，按照你的说法，你朋友为了房子而投案自首，他要房子是为了他的女朋友？"

"是的。"

"他很爱他的女朋友？"

"是的，她是他生命中最重要的人。"

"那么他们感情一定很好吧？"

这一次，陈升脸上露出微笑："是啊，他们上学时候就是青梅竹马，彼此爱慕。女孩子很爱笑，她笑得很美，很纯真，我朋友每次看到她笑都如痴如醉。女孩子曾对男孩子说，'我会永远跟随你'，男孩子曾对女孩子说，'我会永远爱你'。他们一天不见就会如隔三秋，他们心心相印，如同一人。那个时候，简直就是琼瑶小说，就像是梦……"

"很多人会羡慕他们吧？"

"是啊，很多人都羡慕，可是……可是后来，一切都变了……"

"是因为钱？因为房子？"

"大概是吧，我也不知道，总之一切都变得糟糕起来。女孩子的笑容渐渐少了，他们面对生活的压力，逐渐失去了年轻时纯真的理想，也失去了过去的激情。经济压力，尤其是房子，让他们渐行渐远……"陈升说着，微笑逐渐消退，忧伤浮现于面庞，"那一天，当男孩子看到女孩子凌晨回到酒店，酩酊大醉，他静静地躺在女孩子的身边，看着她痛苦地蜷缩在床上。曾几何时，当她的鼻息吐在他的脸上，男孩子就像是感受到她的内心，单纯、令人疼爱、令人心醉，然而，那一夜，男孩子感受到的不再是熟悉的味道，他嗅到了异样的气息，他意识到，一切都已经无可阻挡地到来了……"

中年男子用他"过来人"的洞察力判断："女孩子有了外遇？"

　　陈升没有回答，他沉默良久，深吸一口气，昂起头，然后说："不管怎样，我朋友总是爱他女朋友的，无论如何，此情不变……"

　　中年男子笑着摇了摇头，显然他不认为陈升爱情宣言式的态度是成熟的表现，他说："所以你朋友为了挽回他女朋友，就答应了大老板潘高峰的要求，主动投案自首，承担杀人罪名？"

　　"不，我朋友迫切需要房子不单单是因为他的女朋友，确切地说，他的女朋友迫切需要房子也不是因为她自己。"

　　"那是为了什么？"

　　"为了他们的孩子。"

　　"啊？女孩子怀孕了？"

　　"是的，正因为如此，他们才迫切地需要房子，他们不希望下一代人也像他们这样居无定所。"

　　中年男子深吸一口气，然后从口中缓缓呼出，说："哦，难怪了，原来是这样啊。我终于明白你朋友费尽心机的原因了。然后呢？那个女孩子知道他男朋友为她和孩子付出的一切吗？"

　　"她知道。"

　　"哦，那她一定对他的男朋友心怀感激吧。"

　　陈升没有回答，他第一次对这个故事没有信心，他犹豫了一下，说："如果是从前，她一定会感激他，但是……这一次恐怕要看天意了……"

< 四十二 >

18日下午一点，夏莹莹给吴哲打电话，声称要举报杀害潘岩的凶手。

吴哲和韩景天来到了中央公园找到了夏莹莹。

吴哲让韩景天在车上等自己，他单独和夏莹莹在长椅上坐下。

正值中午，太阳在头顶上，暖洋洋的，一冬天的萧瑟并没有抹杀这个世界的生机，松柏常绿，微风吹拂，四周有孩子三三两两地肆意玩耍、自由欢笑，他们奔跑着，追逐着，无忧无虑。

吴哲见到夏莹莹，她看起来有些憔悴，神情略显惶恐。

吴哲来的时候特意买了一杯热奶茶，他听陈升说夏莹莹爱喝奶茶。

他把奶茶递到她手中，夏莹莹伸出雪白粉嫩的手接过来，低声说道："谢谢。"

吴哲坐到她身边，保持着一点距离，问："你想要告诉我什么？"

夏莹莹捧着茶杯，她望着那些孩子，喃喃说道："你看，多好的时光，无拘无束，那些孩子，是多美的景啊。"

"是啊，是很美。"吴哲看着天真烂漫的孩童，也很喜欢，但是他心里尽是案件，倒没有太多感触，便说道，"时间紧，我们还是先谈谈案子吧。"

夏莹莹轻舒一口气，说："吴哲，我叫你来是要告诉你杀害潘岩的凶手。"

果然是这样，吴哲想。

他尽量不去刺激夏莹莹，安抚她，希望她交代重要的情况，轻声说："你知道什么，尽管说出来吧。"

"我希望这件事你能公正地看待。"

"可以。你说吧，那人是谁？"

夏莹莹用牙咬了咬粉红色的嘴唇，用极低的声音答道："是陈升。"

吴哲还是感到了一丝意外，不是因为答案，而是因为这个答案是从夏莹莹口中说出来，他有点不相信自己的耳朵，又问道："你说是谁？"

这一次，夏莹莹略微提高了声音："是陈升，是他杀死了潘岩。"

一股混乱的电流冲入吴哲的大脑，他料到了事情的结局，但没有料到过程：夏莹莹举报陈升杀人？！

夏莹莹到底是出于什么目的来举报陈升的呢？

吴哲问："你怎么知道的？"

"是陈升自己告诉我的。"

"说具体点。"

夏莹莹并没有立刻回答，而是喝了一口奶茶，然后问："吴哲，我听说你们在潘岩的口中发现了潘高峰的血？"

吴哲皱了皱眉头："你怎么知道的？"

"是潘高峰的律师给我说的。你告诉我，你们是不是因此要定潘高峰的死罪？"

吴哲没有正面回答，只是应了一句："潘岩嘴里是发现了潘高峰的血。"

夏莹莹点头，喃喃自语道："这就是了，这就是了，不会错了。"

"你说清楚一点。"

夏莹莹又咬了咬嘴唇，然后用坚定的口吻答道："我要举报，潘岩口中的血一定是陈升弄的。"

"什么意思？"

"潘氏地产每年都要例行体检，其中有抽血化验一项，陈升拿走了潘高峰的化验用血。"

吴哲不露声色，又问："不要急，慢慢说，陈升是怎么拿走潘高峰血样的？他要血样做什么？"

"三天前，陈升在医务室拿走了潘高峰的血样，我当时在场，只有我们俩，我记得很清楚，那天中午他给我送饭，然后就拿走了血样。"

"你为什么允许他拿走？"

夏莹莹没有立刻回答，她低下头，直到吴哲第二次问她，她才答道："他当时告诉我，用那些血能换来一套房子，让我不要说出去。"

"还有呢？他还告诉你别的什么了吗？"

"没有了，他只说了这些。可是，你不觉得这很反常吗？他要潘高峰的血做什么？"

"你的意思是不是陈升拿了潘高峰的血样，然后将这些血倒进潘岩的口中，以此嫁祸潘高峰？"

"不是吗？除了这种可能还有其他可能吗？"

"你怎么这么确定凶手就是陈升，而不是潘高峰或是别的人？"

"我还没有把我知道的情况说完，我说完了你就明白了。"

"好，你说吧。"

"前天，17号凌晨，他去投案自首之前对我说，一会儿会有一百万打到我的银行卡上，让我查收，并对我说，他会给我打电话，在电话中他会问我'好不好'，我若收到钱便回答'好'，没收到钱便回答'不好'。我照做了。"

吴哲早先根据潘高峰的供述，调查了那一百万的去向，了解到钱是17日早晨打到夏莹莹卡上的，如果夏莹莹说的是真的，那么这一幕也就与陈升要求给夏莹莹打电话的事情对应了，同时也符合潘高峰的供述。

吴哲为了摸清夏莹莹的底牌，明知故问："你知不知道这笔钱是从哪来的？"

"我不知道，我只知道这笔钱是陈升杀死潘岩的报酬。"夏莹莹说这句话时有些闪烁其词。

"你怎么知道是杀人的报酬？"

"吴哲，这你都看不出来吗？若不是杀人报酬，谁会给我们一百万？"

"好，那我再问你一次，你知道这笔钱是从哪来的吗？"吴哲盯着夏莹莹。

夏莹莹忙避开吴哲的眼神，低下头，犹豫地说："我……我不是说了吗，我真的不知道钱是从哪来的。"

谎言！吴哲从夏莹莹的神态就能判断——她知道这笔钱是潘高峰给的。可是，她为什么要撒谎说自己不知道呢？

这时，夏莹莹又说："对了，还有一件事，很蹊跷，我也要告诉你。"

"什么事？"

"三天前，也就是15号那天，陈升让我约潘高峰见面，并且……"夏莹莹说着，脸一红，低下了头。

"并且怎样？"

"并且让我找机会咬破潘高峰的手。"

这个消息令吴哲再次震惊了，他明白这个线索意味着什么，它意味着：潘岩口中的血，潘高峰的暴露，以及整个事情确实是陈升在一手策划，他正是要将杀死潘岩的罪责嫁祸给潘高峰。而实际上，自己一直没有破解的关于潘高峰身上没有伤的问题，陈升事先也想到了，他是有安排的。

吴哲忙追问夏莹莹："然后呢？"

"我……我没有按照陈升的要求做，我约了潘高峰，但我没有咬他的手。"

"为什么，为什么陈升要你去咬潘高峰的手？"

"我不知道。陈升只让我去做，并且说这很重要，我不知道他让我这样做的目的，我没有照办。"

吴哲意识到自己应该换个方式问，便又问道："我的意思是，你怎么能有机会咬潘高峰的手？你们关系很亲密吗？"

夏莹莹的头低得更深了，默然不答。

吴哲心中暗想：看来，夏莹莹和潘高峰的关系真的不一般。

吴哲再三问及，夏莹莹始终不答，但是她的态度分明已经承认了自己与潘高峰不清不楚的男女关系。

吴哲看着夏莹莹，忽然意识到：估计她执意不肯说出那一百万的来历是为了保护潘高峰吧？！

"夏莹莹，我想你能老实交代你知道的所有细节，所有的。"

听吴哲口气转变，夏莹莹抬起头看了看吴哲。犹豫了片刻，她答道："没……没有了，总之，潘岩被杀与潘高峰无关，就是陈升一手策划实施的。我要说的就这些。"

吴哲沉默片刻，突然问道："你说，你举报陈升是不是为了保护你的相好潘高峰？"

夏莹莹先是被吴哲的鲁莽吓了一跳，但她马上又镇定了下来，她抬着头问吴哲："吴哲，你是代表公安局问我，还是代表你个人问我？"

"我个人。"

夏莹莹紧咬嘴唇，狠狠地说："那好，我告诉你，我举报陈升就是为了保护潘高峰。"

吴哲被夏莹莹的话刺激了，他指着夏莹莹，一时竟然说不出话来。倒是夏莹莹彻底放开了，索性说："吴哲，我知道你要说什么，你无非是想说我是个水性杨花的女人，抛弃自己的青梅竹马，被人包养，还为了情夫举报自己的男朋友，薄情寡义，是不是？"

夏莹莹双手捂住脸，失声痛哭，不多时，泪水便顺着手指缝渗了出来。她哭着说着："我知道，你和陈升是好朋友，你心疼他，可你知道吗？现在最心疼的其实是我，我不想，我不想这样，可是，可是我不这样又能怎样？我又能怎样啊？我凭什么要一辈子受穷，我不甘心！"

吴哲问道："日子就这么难过吗？你忘了你们一起奋斗的誓言吗？"

"吴哲，你没到我们这一步，你不会懂。"

吴哲冷冷地问："你是指什么？"

夏莹莹抬起头，泪水布满了她的脸，她看着吴哲，指着自己的肚子，说："孩子，你没有孩子，你不懂。"

吴哲皱了皱眉："我知道你怀孕了，可正是因为你有了陈升的孩子，才更应该爱陈升。"

夏莹莹苦笑着，如同一头丧偶的母兽一样哀号道："嘿嘿，陈升的孩子，不！这不是陈升孩子，这是潘高峰的孩子！"

一记重拳击中了吴哲的胸口，他感到有些窒息，他被这个骇人的消息震惊了：陈升一直视为生命希望的孩子竟然不是他自己的？！

刚才在他们面前玩耍的孩子跑远了，只留下欢笑声隐约传来，就像是一去不复返的时光，转瞬即逝。

"吴哲，现在你知道我为什么要举报陈升，保护潘高峰了吗？"夏莹莹目光有些呆滞了，说话也有些木然。

"我还是不懂，你和陈升在一起十几年了，你对他难道就没有一点感情了吗？你就真的愿意死心塌地跟着潘高峰？"

"十几年，是啊，十几年了。"夏莹莹说着，眼神望向远处，她的思绪已经开始飘飞，飞到那青葱岁月，飞越了十几年的人生，她说："十几年来，我跟着陈升，无怨无悔。我们一起上学，一起工作，一起生活，看着别的漂亮女孩能买到喜欢的衣服和东西，我也妒忌过，羡慕过，但是，我对陈升的感情却从未变过，因为我始终相信他才华横溢，会有出头的一天。"

夏莹莹说着，眼眶再度湿润："可是，当我怀上潘高峰的孩子后，我就知道，我和陈升结束了。我怎样受苦都无所谓，但我不能让我的孩子居无定所，我需要一个家，我需要一套房子。再后来，潘岩被杀，潘高峰成了嫌疑人，我不能让我的孩子一生下来就没有父亲，我要和潘高峰在一起。所以……所以我必须保护潘高峰，举报……举报真凶……"

吴哲脑子有点乱，他努力使自己平静下来，问："夏莹莹，我真没想到你心里会有这么多想法，这件事你告诉潘高峰了吗？"

"告诉他我怀了他的孩子？不，我没有告诉他，我知道潘高峰没有后代，我要等这个孩子生下来再告诉他。"

"哼，生下他的孩子，成为既定事实，以实现你嫁入豪门的愿望，是吧？"吴哲忽然发现，夏莹莹温柔娇嫩的外表下竟有这样一颗心。

夏莹莹不停地抽泣，那或许是对良心的谴责，又或许是对自己过去人生的悔恨。

然而，片刻之后，她却忽然昂起头，竟然有些神采奕奕地说："吴哲，我告诉你，我选择这条路并不后悔，我有资格选择我的人生道路，任何人无权左右。"

"你和潘高峰是从什么时候开始相好的？"

"两个多月前。"

"就在我遇到陈升后不久？"

"是。"

吴哲不再说什么，他冷冷地说："最后问你一个问题。"

"问吧。该说的都说了，也不差这一个问题了。"

"你为什么没有按照陈升说的去咬潘高峰的手？"

"为什么？"夏莹莹说着，有些出神，似乎在回忆当时的场景："我不知道，我原本是打算咬的，但是当我将他的手含在口中，我犹豫了，最终我没有咬他，至于理由，呵呵，没有理由。"

吴哲暗暗感慨：鬼使神差，陈升精妙的设计出现了漏洞，而这个漏洞制造者正是陈升最看重的人。

吴哲问："你能为你今天说的话负责吗？"

"当然！除了我怀了潘高峰的孩子这件事我现在不愿声张，其他的话我都愿意负责。"

"好，我会把除了你怀潘高峰孩子之外的话都记下来，你愿意签名吗？"

"当然。"

吴哲从怀中取出询问笔录，他将刚才两人的谈话经过写了下来，递到夏莹莹面前。

夏莹莹毫不犹豫地签上了自己的名字。然后，她站起身，对吴哲说："总之，我已经向你们反映了陈升的情况，你们这样就无法判处潘高峰死刑了。"

说罢，她态度决然地转身离去。

她还不知道潘高峰已经认罪了。

夏莹莹走后，吴哲见到了韩景天，韩景天看吴哲面色难看，便问道："学长，情况怎么样？"

"夏莹莹举报，陈升是凶手。"吴哲铁青着脸答道。

"啊？她举报自己的男朋友？怎么回事啊？"

"你自己看吧。"吴哲将询问笔录交给韩景天。

韩景天看罢，长叹一口气："这个女人真是……"

吴哲原本坐在副驾驶座上，他心情烦闷，便和韩景天互换了位子，他想用开车使自己烦闷的心情稍稍舒缓。

警车打着火，疾驰而去。

吴哲还不知道，这次见面是他这一生最后一次见到夏莹莹。

< 四十三 >

看守所中。

中年男子继续着和陈升的对话，他问陈升："老弟，你说你朋友因为无法满足他女友的物质要求而自责，你又说那女孩是他人生中最重要的人，这原本是好事，说明你朋友是一个负责任的男人，一个重情义的男人，但是，对于这一点我又有些不同意见。"

"请说你的想法。"

"老弟，你说你喜欢历史，那么我就用历史为你讲清楚这个道理，你可以转述给你的朋友。在历史上，爱情和婚姻中嫌贫爱富、看重门户出身的不少见，要知道，婚姻也是要靠金钱来维持的。陈世美是虚构人物，但现实中却不知道有多少陈世美。举个例子，司马相如和卓文君的爱情故事你总知道吧？"

"当然，文艺青年司马相如靠着一曲《凤求凰》逆袭，征服了白富美卓文君。"

"不错，可是这个传唱千年的爱情故事的结局你知道吗？司马相如在晚年嫌弃卓文君年老色衰，打算纳妾，卓文君伤心无比地写下了《白头吟》，令司马相如无地自容。"

陈升听着，点头，他知道这个典故。

中年男子接着说："近代的也有例子，你听说过陈衡哲先生吗？"

"你是说上世纪二十年代北京大学的女教授陈衡哲吗？"

"是她，想不到你真的对历史很有研究啊，你是历史系毕业的吗？"

"我不是学历史的，我是学建筑设计的，而且，我并不认为历史系毕业的学生都知道陈衡哲先生。"

"呵呵，你说得对。陈衡哲先生的父母都是知识分子，他们很爱她，但是，她父亲却要求她嫁给一个官二代，陈衡哲先生拒绝了这门包办婚姻。后来她孤身一人远走美利坚，终于学成归来，成了一位了不起的学者。"

"或许，陈先生的父亲是为了她好。"

"当然是为了她好，谁不希望自己的女儿嫁一个好一点的人家呢。"

"老兄，你对我说这些有什么目的呢？"

"我是希望你转告你的朋友，这个世界上的爱情和婚姻本就是那么回事，不少情况下它都带有逐利性，真正为爱在一起的，可遇不可求。所以，你朋友应该看开点，有时候真要是缘分尽了，分开比勉强在一起要好。而且，以我几十年的人生阅历总结，凡是在每个时代中过于现实的人，结局往往不理想。"

"这话怎么说？"

"我再给你举例说明吧，比如，七十年代结婚看户口，八十、九十年代看存款，现在结婚看房子，可你仔细观察，凡是以此为目的的婚姻真的能幸福吗？他们的结局会是如何呢？要知道，户口、存款，包括房子，都是会贬值的。假如这些贬值了，当初的婚姻又会剩下什么呢？"

陈升没有作声。

中年男子又说："再比如，那些争着嫁给富二代的女人，那些争着娶白富美的男人，他们真的都过得幸福美满吗？我看未必吧，我更相信真爱，当然，有一定的经济基础是必要的。这是我的看法。"

"真希望你是对的。"

"我认为我是对的。"

"你这么有信心？"

"当然。"

"为何？"

"因为我有亲身体会，切肤之痛。"中年男子说着，重重地拍了拍自己的胸膛。

"何解？"

"我妻子当年就是看中了我家有些存款才嫁给我的。"

"是吗？"

"是啊，我父亲当年是第一批下海经商的人，赚了些钱，当年我家是我们县第一个万元户呢。但是我没有继承我父亲的经商天赋，我不喜欢做生意，我只喜欢写作，于是我九十年代来到这座城市买了套房子，在这里以写作为生。人说'男怕入错行，女怕嫁错郎'，说得真对，以写作为生太艰难了，十几年下来，坐吃山空，你也知道，进入21世纪后，经济发展这么快，当年的万元户现在就是穷光蛋了，我的那点存款早就用完了。所以，我妻子要离开我，不但要离开我，还要带走我的房子。"中年男子将身体向后靠了靠，又说，"这难道不能说明问题吗？以利益为纽带的婚姻终究难以天长地久。"

"看来你是个落魄的富二代啊。"

"嗨，我这叫什么富二代，穷书生一个罢了。"

"唉，可惜，你的经验是你的，我的经验却是……哦，确切地说是我朋友的经验却是，当自己身上没有任何利益时，爱情片刻不会停留，更别提什么挽留了。"

"……好吧，或许你说的也有道理，但是爱情和婚姻毕竟还是有区别的。"

"有时候就是一回事。"

"……好吧，我不得不承认你说得对。"中年男子想要反驳，却发现陈升说得不错，便无奈地笑道，"唉，这或许就是每个人有每个人的不幸吧。"

"是啊。"陈升似乎是被方才的话题触动了，他忽然站起身，在牢房中踱着，用看似疑惑但却坚定的口吻对中年男子说，"老兄，方才你说每个人都希望自己的女儿嫁个好人家，我不反对。但是，我在想，汉高祖刘邦迎娶吕雉，门不当户不对，那就是小流氓娶了富家女，但是为什么吕雉的父亲会做出这个决定呢？"

"为什么？"

"因为吕雉的父亲将女儿嫁给刘邦，就是看中了刘邦是一个潜力股。"

"你想表达什么？"

"我想表达的是，在乱世，才能比财富更重要，在太平时代，门第出身则比才能更重要。"

"你不会是认为……生不逢时吧……"

"不错，我朋友就是生不逢时。"

中年男子在陈升身上嗅到了什么，他皱了皱眉头，用低沉的声音说："老弟，你的这想法很危险啊。你到底在想什么？"

陈升没有回答，他顾左右而言他："老兄，你知道吗？以前上大学时，导师对我说过一句话，当时我只觉得这句话很有道理，可直到三天前我才明白这句话的意思。"

"什么话？"

"他说，在这个世界上你想自由地活着，只有两个办法，第一个办法是做一个绝对的好人，第二个办法是做一个绝对的坏人。"

< 四十四 >

夏莹莹走出公园的大门，万里无云的天空，一丝风吹过，卷起她乌黑的长发。

她长舒一口气，仰望天际，下意识地抚摸了一下自己的肚子，她对未来充满了希望。

此刻，她觉得自己是这世界上最幸福的人。

她并没有看见一辆停在角落里引擎嗡嗡作响的汽车，像是野兽吞食猎物前发出的咆哮声。

吴哲他们与夏莹莹几乎是同时出了公园大门，他们原本要驱车回市局，公园前的这个十字路口是必经之路。他们刚看见夏莹莹走出公园，就几乎同时看见了她身后如子弹一般径直开来的汽车。

"砰"的一声沉闷的撞击声，"哗啦"，汽车挡风玻璃碎了，散落一地。周围的人一阵惊呼，慌忙躲闪，夏莹莹则像是一只断了线的风筝"飘"出去十几米。她就地翻滚，下身淌出了一大摊殷红的血，她就这样倒在了血泊中。

吴哲亲眼目睹了夏莹莹被车撞飞的全过程，他心中一颤，但他并没有惊慌，职业素养和长期的高压环境，让吴哲有一种压力越大越镇静的素质。

他也不管红灯绿灯了，一下调转方向，开回事故现场。

就在吴哲快要到达的时候，从肇事车驾驶室中走出一个人，吴哲看得清清楚楚，那人就是马站立。

同时，吴哲还看到，马站立手中拿着一个黑乎乎的东西，韩景天也看到了这一幕，吴哲和韩景天几乎是同时叫道："枪！"

马站立晃晃悠悠地从车中出来，他不顾周围渐渐聚集的人群，双目如恶狼一样盯着躺在地上的夏莹莹，他打开了手枪的保险，举起了枪，对准夏莹莹。

这一刻，吴哲全明白了：这一定是潘高峰怀疑自己被陈升和夏莹莹联合算计，他恼羞成怒，因此派马站立杀死怀孕的夏莹莹，惩罚陈升。

马站立撞倒了夏莹莹，还不放心，他竟然像疯了一样，要在光天化日之下开枪杀人。一旦马站立开枪击中夏莹莹，那造成的社会影响将十分恶劣，整个城市乃至整个国家都会轰动。

下车跑过去来不及了，喊也是绝对喊不住的，千钧一发之际，吴哲果断地急刹车，打开安全带，下车，掏枪，瞄准，整个过程一气呵成，前后不足五秒钟。

马站立因为刚才的剧烈撞击导致有些头晕，所以他的动作稍显迟缓，他看着倒在地上兀自抽搐的夏莹莹，稳了稳神，缓缓拔出枪，说："高峰大哥，我马站立总算是报了您的救命之恩。"

马站立将枪口对准了夏莹莹的额头。

"砰"的一声枪响，马站立头部中弹，一枪毙命。

韩景天在车中高呼："学长，好枪法！厉害！"

吴哲的枪口冒着白烟。

枪响后，必然是一片混乱，吴哲挂上警灯，冲到案发地。他越过马站立的尸体，直奔到夏莹莹面前。

吴哲看到，夏莹莹已经不动了，他急忙弯下腰摸了摸脉搏和鼻息，一切都停止了。

吴哲长叹一声，懊恼地猛击了一下自己的头颅："该死！"

夏莹莹被撞死了，吴哲看到，她似乎兀自不相信这一切，美丽的双眸仰视着蔚蓝的天空，一脸不甘……

< 四十五 >

夏莹莹被撞死，马站立光天化日行凶被击毙，消息一经新闻报道，顿时在社会上蔓延开来。

2月18日下午三点，当吴哲像一头愤怒的猎豹一样赶回市公安局的时候，他的心情糟糕至极。

结果迎面遇到了仍在公安局里喋喋不休的李秀丽。

李秀丽见到吴哲，又开始了她的撒泼耍赖："你们警察会不会办案？成天就知道瞎跑，我警告你们，你们要是再破不了案，我就……"

"放你妈的屁！"

吴哲暴怒的吼叫吓得李秀丽一哆嗦，她如果是一只鸡一定会抖落一地鸡毛。

"你……你……"吴哲的金刚怒目令李秀丽不知所措，她指着吴哲说不出话来。

吴哲猛地上前一步，指着李秀丽的鼻子怒道："李秀丽，你别在这儿胡说八道！"

吴哲的突然转变令跟在一旁的韩景天也很意外，他暗自叫好：早该这样治治这个女人了。

李秀丽气得浑身直哆嗦。

吴哲的怒火宣泄得差不多了，他不再理会李秀丽，径自走了过去。忽然，他又回过头，对脸色惨白的李秀丽说："你儿子死了，我的朋友也死了，还会有更多的人因为这个案子丧命。案子已经快要完结了，你别在这儿胡搅蛮缠了。"

说罢，吴哲头也不回地走了，片刻之后，身后传来了李秀丽的号啕痛哭。

吴哲击毙马站立的消息薛万彻已经知道了，他顶住市局的压力，要求无论如何先等潘岩被杀案结案后再对吴哲进行质询。

韩景天提议立刻再审陈升，吴哲却要先见见潘高峰。

下午四点，市局审讯室中。

吴哲第三次提审潘高峰。

吴哲劈头就问："潘高峰，是不是你派马站立撞死了夏莹莹？"

潘高峰瞪着双眼，急切地问："怎么样？那贱人死了吗？"

吴哲怒骂："你这么做是罪上加罪，这一回谁也保不住你！"

"看来是死了，死了，哈哈。"听到夏莹莹的死讯，潘高峰哈哈大笑起来，"哈哈哈，小马，做得好，做得漂亮。这个贱人也有今天。"

"潘高峰，你知道你将面临的审判会是什么结果吗？谁也保不住你，你死定了！"

潘高峰一副无所谓的样子："我没有什么可怕的，我早就说过，我没有家也没有孩子，老子福也享了，罪也受了，此生无悔。不错，就是我派人撞死她的，她该死。"

"你为什么要这么做？"

"哼，潘岩口中的血一定是夏莹莹这个贱人给陈升的，肯定是他们合谋做的这件事。陈升来投案自首，让我把钱打给夏莹莹，最后自己却又翻供，两人狼狈为奸，坑了我的钱，还想要我的命，这种烂货我岂能留她？"潘高峰说着，全身剧烈地晃动，额头青筋暴起，显然是恼怒至极了，他一生中大概从没有被人这么算计过。

吴哲看着暴怒的潘高峰，忽然觉得这个所谓的"枭雄"很可怜，他轻舒一口气，淡淡地问："潘高峰，你这么恨夏莹莹，可是你知道她找我说了什么吗？"

"哼！她能说什么？无非就是说是我害死了潘岩，说那笔钱是她和我睡觉的卖身钱，说她的相好陈升无罪呗。"

吴哲用十分平缓的语气说："我如果告诉你，她是来举报陈升杀死了潘岩，证明你无罪的呢？"

潘高峰一皱眉，这个答案大大出乎他的意料，这一天多他在看守所想的尽是夏莹莹的阴险歹毒，他在幻想着用一切方法惩罚这个女人。

然而，吴哲的话令他像是掉进了深不见底的沼泽。他大惑不解地问道："你说什么？夏莹莹举报陈升杀人，证明我无罪？"

"是。"吴哲回答得斩钉截铁，不容置疑。

潘高峰不知道该如何应对。

"你知道她为什么这么做吗？"

"我……我不知道，她……她为什么这么做？"潘高峰期盼知道答案的眼神有些迷离。

吴哲一边站起身，一边叹息着说道："因为她肚子里的孩子是你的。"

"什么？我的孩子？"潘高峰的神情就像是吃了一颗炸弹一样，目瞪口呆。

"是的，就是你的孩子，她亲口告诉我的。她为了保护她的孩子，保护她孩子的父亲，便举报了陈升，证明你无罪。"

"不可能，这不可能，绝不可能。"

吴哲将夏莹莹的询问笔录给潘高峰看："这是她举报陈升的笔录。你是孩子生父的事，根据她的意愿，没有写在笔录里。"

潘高峰惶恐地看完笔录，想了想吴哲的话，瞠目结舌——他呆了。

潘高峰的手开始颤抖，他口中"哼哼唧唧"地发出一种来自肺腑的闷哼，像是地狱中的恶鬼。

吴哲劈手夺过笔录。

潘高峰双眼通红，他像野兽一样哀号，撕心裂肺："啊——啊——啊——！！！"

良久，良久……

吴哲不愿看到这惨绝人寰的一幕，他挥了挥手，示意带走潘高峰。

潘高峰缓缓站起身苦笑道："我潘某一生辛苦，到头来身败名裂，这或许就是命吧。"

潘高峰脸色有些苍白，他又颓然地说："吴警官，你是一位有才能的警察，由你来审我，我不但不愤怒，反而心安理得，你说奇怪不奇怪？其实我已经无所谓了，我害死了自己的弟弟，我害过很多人，现在才审判我，有些迟了，我是一个已经死了的人，从我爹抛弃我和我母亲的时候，我就已经死了……"

吴哲严肃而略带悲悯地对潘高峰说："潘高峰，你想过没有，假如你能同意弟弟的转型方案，又或者你们兄弟同心，一起努力经营公司，你今天绝对不会沦为阶下囚，潘家的产业也会蒸蒸日上的。可是很遗憾，你被权力金钱吞噬了良心，你被高楼大厦蒙蔽了双眼，所以才会走到今天这一步。"

心如铁石的潘高峰，眼眶竟然有些湿润了。

潘高峰站起身，被警察带走，他的步伐有些蹒跚，那一刻，他似乎老了十几岁。

吴哲看着以强硬著称的潘高峰在最后时刻的软弱，不禁唏嘘：罪恶，是人一生都无法忘记的，任何人犯了罪，都会使他迈向地狱。那些用铁石心肠将罪恶感压制并不断犯罪的人，其实已经为自己掘好了坟墓，这种人只有面临公正的审判和命运的裁决，才知道一切都为时已晚。

潘高峰已经走出了审讯室，吴哲忽然想起一件事，他追了出去，追上潘高峰，问："我还有一件事要问你。"

"什么事？"

"陈升是怎么用不到二十分钟的时间从南区到北区杀完人，然后又回到南区的？"

吴哲迫切地希望知道答案。

然而，潘高峰摇了摇头，说："对不起，吴警官，对于这个问题，我和你一样百思不得其解。他并没有告诉我他的手法，我也不知道。"

吴哲默然，他失望地挥挥手，让潘高峰走了。

韩景天跟着走出审讯室，他见到吴哲，问："学长，潘高峰一直在看守所或公安局里，他是怎么指使马站立撞死夏莹莹的？"

"是他的律师，我不该让他见律师。"

"哦，原来如此。学长，下一步我们是不是可以定案了？"

吴哲神情凝重，皱着眉摇了摇头，答道："定案为时尚早，我们还有最后一场决战！"

< 四十六 >

看守所中。

"绝对的好人，绝对的坏人。"中年男子重复着陈升的话，他摇头，说："这话不对，因为这世界上没有绝对的好人，也没有绝对的坏人。"

"不，是有的。那些毫无所求，用对他人毫无危害的方式，而能牺牲自己救人的人，就是绝对的好人。反之，那些对于一切道德规范都视若敝屣，对于生命毫无敬畏之心，只关心现世利益的人就是绝对的坏人。"

"我不懂你的意思，你想表达什么？"

"我想表达，我朋友原本是一个绝对的好人，但是突然，他变成了绝对的坏人，他发现了他生命失去光彩的原因，他明白了他无法适应于这个社会的原因。"

中年男子再次摇头："对你的说法我绝对无法赞同，这种观点是敌视社会，甚至是敌视人类。你朋友的这种思想有大问题。任何时代都有局限性。我过去想上学却没有办法上，人们想要追求知识，追求理想，却没有机会。相比之下，现在好太多了。这个时代进步了，是好的。你朋友不该敌视社会。"

"敌视社会？不不不，你理解错了。"陈升踱着的脚步加快了，他昂着头，用一种近乎高亢的语调说，"我朋友没有敌视社会，他只是从杀人当中找到了前所未有的快感。一种完美的艺术，一个精妙的设计，将一切玩弄于股掌之间，生杀予夺，予取予求。曾经高高在上的人仰视着他，匍匐在他脚下；曾经不把他放在眼里的权贵对他恨入骨髓却又无可奈何，自以为高贵的人在他面前颤抖，低贱得好似蝼蚁。杀人的那一刻他才发现，原来他所有的人生价值都在这种情况下才能展现。他冲破了伦理道德的藩篱，驰骋于欲望的疆场，他的智慧、他的才华、他的激情，一切都蕴含在他体内却始终被压抑的东西，在那一刻得到了彻底的释放，他获得了彻底的自由，他解脱了，他升华了。"

中年男子看着陈升，像是一头在品味自己猎物血浆的怪兽，又像是一个在地狱烈火中被炙烤，但却无比享受这种灼烧感的恶鬼。

"你朋友果然就是杀人凶手！"中年男子虽然早就猜到这个结局，但当他听到陈升亲口说出答案的时候，他还是吃了一惊。

"哼，我朋友是不是凶手重要吗？"

相对于这个早就料到的问题，中年男子更关心另一个始终是谜

的问题："你朋友到底是用了什么方法制造了多余的时间，完成了
那不可能完成的犯罪？"

"这重要吗？"

"我觉得重要。"

"不，这其实一点都不重要。"

"那什么才是重要的？"

"我朋友对于人生的感悟才是重要的，不是吗？"陈升方才
喷薄的激情冷却了，他停下脚步，颓然坐下，脸上现出疲态以及痛
苦，他轻叹，"我朋友推翻了他赖以生存的人生信条，他认为他获
得了新生。可是，他杀人时的感受是真实的还是虚幻的？他真的能
够获得新生吗？"

中年男子看到，面前这个前后态度泾渭分明、亦正亦邪、时而
内敛谦虚时而疯癫狂乱的人，分明是一个心理矛盾、人格分裂的
罪犯。

这种强烈的反差令他嗅到了与自己相同的某种气息，那是苦苦
挣扎、迷茫彷徨的气息。但同时，中年男子心底深处善良的呼声却
告诫自己，这种气息只能存在于短暂的哀怨之后，不能因为对自己
怜悯就放纵其膨胀，更不能上瘾。

否则，人就会变成怪兽。

中年男子看着面前的陷入痛苦的陈升，心中不忍，他说："是啊，想做理性的人，但现实却令他受挫，令他愤怒。他希望获得真爱，但现实却令他失去一切，他置身黑暗，向往远方微弱的光明。他在曲折艰难的道路中行进，从未懈怠，可最终，他走向了万劫不复。他在矛盾中生，在矛盾中死，从生活来看，他是一个可怜的人，从杀人这件事来看，他是一个可憎的人，归根到底，他是一个可悲的人。

"他杀害潘岩，可据说潘岩希望终结房地产业务，开启新能源业务，这其实是解决高房价的一个重要手段。但是，他却因为自己的利益杀了潘岩。

"就像那位教授说的，在这个世界上你想自由地活着，只有两个方法，要么做一个绝对的好人，要么做一个绝对的坏人。你朋友开始选的是前者，可杀人以后他成了后者。虽然绝对的好人和绝对的坏人是不存在的，但是你朋友的选择难道不是极端人群的共同选择吗？这才是值得我们深思的问题，这才是重要的吧？"

陈升抬起头，看着中年男子，或许是方才的那番话感动了他，他竟然眼眶湿润。

他痛苦地抱住了头，身躯在剧烈颤抖。

中年男子走过去，轻轻拍了拍他的脊背。

两人对于一切早已心照不宣。

陈升苦涩地自怨自艾："房子，一切都是因为房子，为房而生，为房而死。原本只是一个栖身的场所，如今却成了囚禁我们身体和灵魂的牢笼，为什么？这到底是为什么？"说着，他再次想起那首诗词，"危楼高百尺，但愿它不会成为我们的坟墓。"

"危楼高百尺，是啊，百尺高楼，令人向往，可谁又想到高处不胜寒，越高的楼越吸引人，同时也越发危险。老弟，你之所以困惑是因为你还有希望。问题或许不在房子身上，而在你的心中。"

"希望……希望……"

中年男子顿了顿，然后低声说道："我觉得，你朋友主动将罪行交代出来会好受点，将一切都告诉他那个做警察的同学。不然的话，即便你朋友将来被无罪释放，这种罪恶的心只怕要折磨他一辈子了，那才是令人绝望的人生啊。"

"绝望？"听到这个词汇，陈升忽然停止了悲恸，他缓缓坐起来，喃喃说道，"不，不会绝望，因为还有爱的人，还有孩子，还有亲人，有这些，怎会绝望！有这些，再苦再难也要坚持活下去，不是为自己，而是为他们。"

说着，他眼中再次泛起无尽的光芒，那是希望之光："是的，我……我朋友不会绝望。他会从看守所出去，得到那套房子，过幸福的生活。"

中年男子同情地望着他。

忽然，有警察走进来，打开房门，命令道："陈升，跟我们走，去审讯室。"

陈升站起身，走到一半，他扭头对中年男子说："老兄，咱们聊了半天，我还没问你叫什么呢？"

中年男子正要回答。陈升却又改口："算了，有些事情不说出来反而更好，老兄，我估计我马上就要被释放了，这或许是我们最后一次见面了，怎样？你会把我给你讲的故事写成小说发表吗？"

中年男子看着陈升，脸上有些不忍，但想到，正如陈升所说，这或许是两人最后的交流了，他便直说道："老弟，你真的认为自己可以出去吗？"

陈升听到他这么一问，不知为何，竟然怔了一下，随即，他笑了笑，答道："呵呵，不管如何，总之你将书写出来就好了，至于我能不能出去，重要吗？"

说罢，陈升转身跟着警察走了。

"是啊，重要吗……"中年男子重复着陈升最后的这句话，他想到了与这个年轻人短暂但终生难忘的相识，他想到了陈升将要面临的命运，同时，他更想到了外面到处矗立的高楼大厦，不知为何，他竟对它们感到一丝恐惧……

<　四十七　>

市局薛万彻办公室内，薛万彻、吴哲、韩景天正在紧锣密鼓地布置对陈升的最后一次"进攻"。

薛万彻问："小吴，证据都找到了？"

吴哲苦笑："证据没有找到，但是我能让陈升开口。"

"你打算用什么办法？"

吴哲挥了挥手中的审问记录："就凭夏莹莹死前的供述，我就有把握让陈升认罪。只是……"吴哲说着，长叹一声，"唉，可是对这于陈升而言不是太残酷了吗？"

看着吴哲痛苦的表情，薛万彻对他说："小吴，无论如何，这是关键的战斗，你要挺下来。现在除了你，没人能接手这个案子。"

吴哲又是一声苦笑："我懂，薛队。"

韩景天在一旁插话道："薛队，学长，假如陈升抵死不认，我们是不是就没有办法了？"

薛万彻听到这里，也将目光投向了吴哲。

吴哲回答说："一个失去了生命支柱的人怎么可能会继续顽抗呢？"

2月18日下午五点。

公安局审讯室中，吴哲第三次提审了陈升。

这一次，吴哲没有了以往的锋芒毕露，表情苦涩而茫然。陈升依旧是微笑着，一脸释然，因为他对于外面发生的一切一无所知。

陈升笑问吴哲："老同学，这回该放我出去了吧？"

吴哲没有回答他，只是说："聂政，战国时期韩国人，孤身刺杀韩相侠累，最后自己毁容自尽。"

"呵呵，不错，聂政刺杀侠累，面对高高在上的人物，旁若无人，击杀侍卫数十人，直入杀之，最后为了保密，自己毁容自尽，这才是真汉子。"

"陈升，你说荆轲不值得钦佩，聂政值得钦佩，我是不是可以理解为，荆轲杀人技术不行，刺杀秦王失败，所以不值得钦佩，而聂政刺杀侠累成功，所以值得钦佩？"

陈升微微一笑，虽未开口，但那表情分明就是在回答：正是如此。

"陈升，我问你，你知道聂政为何临死前自己毁容吗？"

"因为怕人认出他的面貌，会连累他的亲人——抚养他长大的姐姐。"

"不错，可是你知道吗，最后聂政的姐姐哭死在了他身旁。"

"我知道，那又怎样？"

"你知道这说明什么吗？"

"说明什么？"

"陈升，聂政杀了人，用尽一切办法要保护他的亲人，但是他的亲人还是因为他杀人而死了，你还不明白吗？天网恢恢，疏而不漏，没有人可以瞒天过海。"

"呵呵，吴哲，有话你就直说吧。"

吴哲轻叹一声，诚恳地说："陈升，你的伎俩已经被我识破了，认罪伏法吧，这样你的良心会好受点。"

"又来了，吴哲，我知道你的心理战术很厉害，但是我不是说了吗，我没有杀人，你们控诉的证据本来就不足，怎么还让我认罪呢？我没有什么罪可认。"

"有人举报你了，指证是你杀了潘岩。"

陈升脸色一沉，问道："是谁？"

"夏莹莹。"

这三个字就像是三颗炸弹在陈升的脑子中爆炸，他头脑中嗡的一声。他"噌"地站起身，就像是椅子上有钉子一样。他喝道："这不可能！"

身后警察将其摁坐下。

吴哲一字一顿地说："我说的都是真的。"

陈升脸色瞬间开始焦黄，他摇着头，不停地说着："不可能，不可能，莹莹不会这样对我，绝不可能。"

吴哲又说："夏莹莹不但举报你收取了潘高峰的钱，杀害潘岩，而且还指认你骗取潘高峰血样，并指使她咬破潘高峰的手，企图嫁祸潘高峰。"

陈升的脸色越发难看，但他仍坚守着最后一丝信念，使劲地否认道："不！不不，这不是真的，这只是你的推测，你是在诈我，莹莹不会害我的，不会的！"

吴哲看陈升依旧顽抗，便拿出夏莹莹签名的笔录，放到陈升面前。

那份笔录，白纸黑字，就像是一份末日审判的判决书摆在了陈升面前。

陈升疑惑地望着吴哲。吴哲说："这是有夏莹莹亲笔签名的笔录，你自己看吧。"

陈升捧起笔录，看着，那上面的每一个字都像是一颗钉子钉进他的心。他的心在滴血，他原本火热的心像是隐没在高山后的太阳，渐渐暗淡，渐渐冷却……

最后，当看到夏莹莹那熟悉的签名，这一次，陈升信了。

夏莹莹真的背叛了自己，选择了潘高峰。

但是，他仍抱有幻想，他拿着笔录笑着说："一定是潘高峰胁迫她这么做的，她是被逼无奈，是的，她一定是被逼的。"

吴哲在一旁心中不忍，从陈升手中取走笔录，说："不是潘高峰逼她的，是她自愿这么说的。"

陈升怔怔地看着吴哲，他不懂，他茫然了，他自言自语地说："她为什么这么做？是了，为了孩子，她是想为我们的孩子保住一个家、一套房子，为了我们的孩子她不得不舍弃我。否则潘高峰不会放过她，对，一定是这样。"

陈升编造着连自己都不信的理由。

吴哲实在听不下去了，他猛地冲到陈升面前，高声说："陈升，你醒醒吧，她不爱你了。"

陈升摇头否认："不会，不会，我们相识相爱十几年，她爱我，我知道她是爱我的。"

吴哲怜悯地看着陈升，一言不发。

久久的沉默，审讯室内唯有挂在墙上的时钟嘀嘀嗒嗒的声音在回荡。对于陈升而言，这声音既像是催命的丧钟，又像是报喜的锣鼓，他想到了很多很多的往事。

过往的人生如同黑白电影的闪回在他脑海中回放，喜怒哀乐，悲欢离合。

过了良久，最终，陈升的眼中流出了泪水。

他哭了。

他明白，吴哲是对的，那个女人，她要离开自己了。

吴哲掏出准备好的香烟，抽出一支为陈升点燃，语气平和地说："说吧，你还有必要隐瞒吗？"

陈升抽了口烟，泪水仍未停止，他的手在颤抖，他几乎是哆嗦着苦笑道："是啊，还有必要隐瞒吗？"

巨大的打击令陈升的心理防线坍塌了，他赖以生存的信仰伴随着夏莹莹的背叛而樯倾楫摧，他绷紧的神经像是失去了弹性的橡皮筋松弛下来。

他感到好累好累。

但是，当他想到另一件事，他又愉悦起来，他认为他的目的已经达到了，自己可以无牵无挂了，尘世上所有的负担在这一刻都可以抛诸脑后，以后再也不必为生活所累，再也不必为感情所困。这对他来说反而是一件值得庆幸的事情。

念及此处，陈升深吸一口气，摸了摸脸上的泪水，他一脸无惧无畏，说："无所谓了。"

陈升忽然间视死如归的神态倒是让吴哲有些意外：他想到了什么让他重新恢复了信心？

只听陈升接着说道："我没有什么牵挂了，即便此刻我死了，莹莹也会过得很好，我们的孩子她也会照顾好。"

原来如此，即便到了此时此地，他仍将夏莹莹和那个其实不属于他的孩子当作他生命的支柱。

吴哲心头一疼。

陈升整理了一下思绪，对吴哲说："现在，我就告诉你案件的所有真相。"

"你说吧。"

韩景天聚精会神地记录着，生怕漏掉了一个字。

"老同学，其实你前面的分析都是对的。一个多月前，潘高峰找到我，说他想杀潘岩，让我出手，我提出一百万的条件，他答应了。随后我就开始布局，我连续一个月，每天都去南区售楼部，就是为了给15日下午的谋杀做障眼法。"

吴哲坐回原位，仔细听着陈升的供述。

"我让潘高峰约潘岩15日下午六点在北区角落中见面。潘高峰照做了。"

"为什么选那里？"吴哲的思维跟着陈升的话飞快地运转。

"因为那里是监控盲区。"

"你怎么知道？"

"我当然知道，因为那个摄像头是我从开始就拨到一边的。"

"一开始？"

"对，因为那里是我每天都要经过的地方啊。"

"什么意思？"

"呵呵，这个我后面再告诉你。留些悬念吧。"

"看来你对每个细节都考虑到了。"

"当然，"陈升不无得意地说道，"我可是把这件谋杀案当作了一个精密的工程来看待的，我喜欢完美的东西。"

"可惜这个世界上没有完美的东西。"

"是啊……没有完美的东西……"

"继续说案情。你是如何在15号作案的？15日下午六点你进入小区南区，直奔办公楼，二十二分你出来了，这中间你去了哪儿？别告诉我你去了售楼部。"

吴哲说到这里，陈升狡黠地看着他笑了笑，说："老同学，这件事如果我不主动承认，你是没有办法定我的罪的，不是吗？"

吴哲未置可否，只是说了一声："你快交代吧。"

"是呀，那一天我确实没去售楼部，至于登记簿上的签名，呵呵，我不得不说，吴哲，你和我真是心有灵犀呢，我就是提前一天将自己的名字写上去的。"

吴哲面无表情。

"要说起来，这还要感谢潘氏地产严格的管理制度，严格的管理制度是为了不让人钻空子，可是很遗憾，这世界上所有的制度都有漏洞，只要你留心，就能抓住漏洞。我找到了这个漏洞，在签名的时候趁人不注意，就可以提前一天，甚至是两天签下自己的名字。而由于管理制度严格，陈雪他们一旦被公司管理层发现犯了这样的错误，就会面临被解雇的危险，因此，他们宁愿将错就错，也不敢承认自己犯了错误，相反，他们还会帮我遮掩这个错误。如果我不承认，这一点你们永远无法证明，它将成为我最有力的不在场证明。"

吴哲不愿在这个问题上过多纠缠，又问："然后呢？既然你去售楼部，那么你进入办公楼以后做了什么？"

"我去北区杀死了潘岩。"

吴哲明白终于说到了重点，他忙问："你到底是怎么去的北区？"

陈升再次不无得意地答道："老同学，这是三大关键点最重要的一个，我不说，你还是没办法解答。不过，请允许我最后回答你这个问题，好吗？因为这是这个计划的核心，我希望将谜底留到最后。"

吴哲只得答应，说："好，我答应你，那你就先说说你是怎么杀死潘岩，又是怎么善后的吧。"

"潘岩如约到了指定的角落，我躲在一旁，趁其不备，冲过去，勒住他的喉咙，将他勒死了。老实说，我当时很害怕。"

"最后你是不是将潘高峰的血样倒进了潘岩的口中。"

"不错，我是这么做的。老同学，若不是莹莹说出来这件事，这个关键点你同样抓不住我的把柄，对不对？因为你们也无从得知潘高峰的血是从哪来的。"

吴哲干笑一声，他不得不承认，上次审问陈升，陈升说他证据不足，提出三大疑点让他解释。虽然他知道这一切都有问题，但是，确实没有证据，今天若不是陈升精神防线崩溃主动承认，他仍拿陈升没有办法。

吴哲又问陈升："你为什么要偷潘高峰的血样，并将其倒进潘岩口中？"

"理由很简单，这是我全部计划的一部分。"

"详细说明。"

陈升的烟抽完了，他问吴哲："能再给一根吗？"

吴哲再次为他点燃一支烟。

陈升抽了口烟，然后缓缓回答，那语气那神态不像是在供述犯罪过程，倒像是在向人们讲解一个得意的设计，一个精妙的工程："在最初潘高峰找到我的时候，我心中就对这个计划制定了两点目标，第一，杀死潘岩是必须的，因为我需要那一百万；第二，嫁祸给潘高峰，这样做有两个目的，首先是为了自保，其次是因为我希望潘高峰死。"

"为什么？你为什么希望他死？"

陈升苦笑道："吴哲，你还不懂我恨潘高峰的原因吗？"

是了，情敌。

"原来如此，你偷了潘高峰的血样，倒进潘岩口中，只要我们查出那是潘高峰的血，多半会认定他是凶手，毕竟他是潘岩之死的最大受益者，动机最大。"

"吴哲，若不是你负责这个案子，我的计划一定会成功的，你承认吗？"

吴哲没有回答，他说道："还有一个问题，你能够顺利实施这个嫁祸于人的计划，其实也有运气成分。"

"哦？怎么说？"

"潘高峰担心你无法顺利杀死潘岩，因此派马站立埋伏在角落中监视你。你将血样倒入潘岩口中的时候，马站立没有察觉，或许他认为你是在查看潘岩是否已死，又或者他当时没有看清你的动作，总之，他错过了这个重要的环节，这也间接促成了你计划的成功。"

陈升冷笑，说："哼，就算是马站立发现了他又能做什么？口中血液难以清理干净，一定会留下痕迹。你们警察对潘岩的尸体也一定会做全面彻底的检查，到时候不一样会发现潘高峰的血吗？"

吴哲不愿在这类已经无关紧要的问题上过多纠缠，他又问："你的计划已经顺利实施，有血样留在尸体口中，潘高峰被发现也只是迟早的事情，可是，你为什么在17日突然来投案自首呢？”

“嘿嘿，那是因为潘高峰十分狡猾，他并没有把钱立刻给我，而是拖着。不过这也在我的意料之中，投案自首就是我对付他的办法，其实无论当时你们要不要抓他，我都会来投案自首。”

“因为你和潘高峰交易，你告诉他你愿意投案自首，承担一切罪责，并以此为代价让潘高峰把钱尽快给你，也只有这样潘高峰才会把钱给你。哦，当时潘高峰在公安局，确切地说是潘高峰让他的律师把钱给你。”

“不错。”

吴哲顺着陈升的思路替他说道：“而你投案自首时装疯卖傻，就是为了确定钱到账后便于翻供，说自己是被潘高峰逼迫得神志不清才投案自首的，是不是？”

“不错。”

“第一次我审问你之后，你给夏莹莹打电话，就是在确认钱是否到账。按照夏莹莹交代的，你们的暗号是，你问她‘还好吗’，她若回答‘好’，就是代表钱收到了，回答‘不好’，就代表钱还没有收到。你用我的手机给夏莹莹打电话，她回答说‘好’，你就知道钱已经到手，这才开始翻供，如果钱当时没有到账，恐怕你还要拖一拖吧。”

"是的。"

吴哲继续说："还有那个血样，你算准了化验时间要几天，便在血检报告出来之前翻供，这样一切都显得顺理成章。你又指使夏莹莹约见潘高峰，并让她咬破潘高峰的手，这样，你就能将杀人的罪责推给潘高峰，因为毕竟他是潘岩之死的最大受益者，也就是最大的犯罪嫌疑人。而你，却得到了一百万，并安然无恙，只要你和夏莹莹串通好，即便将来追查这一百万的来历你们也可以说是夏莹莹与潘高峰的肉体交易所得，与杀人报酬无关，因为钱毕竟是打到了夏莹莹的账户。潘高峰有作案动机，有作案可能，又有血样证据，如果夏莹莹按照你说的咬破了潘高峰的手，他想不承认都不成，哼，天衣无缝，天衣无缝。"

"呵呵。"陈升竟然笑了，这笑既是得意于自己的"杰作"，也有几分人生遇到知己的快乐。

吴哲又补充道："对了，还有一个事情，你用潘岩手机显示来电地点的理由，阻止潘高峰在案发前去外地，目的并不是怕潘岩察觉，而是为了方便嫁祸给潘高峰。你的这个想法很巧妙，潘高峰不能去外地，而案发当时他要随时与你和马站立保持联络，以免出现意外，他又不能在公开场合露面，只能选择在一个僻静无人的场所。这样一来，他的不在场证明就没有了，而作案时间就有了。"

吴哲一口气说了许多："还有监控的问题。根据潘高峰交代，他本打算在案发时关闭小区监控，但是却被你阻止了，你阻止他的理由应该是关掉监控会显得不自然，并且下达关闭监控命令的人一定会被重点调查。你向潘高峰许诺，可以在不关监控的情况下杀死潘岩并不被发现，潘高峰自然同意了你的要求。但是潘高峰却不知道，你之所以阻止潘高峰关掉监控并不是为了他，而是为了你自己事后便于脱身，因为监控恰恰成了你的障眼法最好的帮手。"

陈升笑着抬起戴着手铐的双手，鼓掌道："厉害，不愧是我过去的竞争对手，你的分析就像是在还原我的设计。"

韩景天一边记录一边心中突突乱跳，原来吴哲学长一直在和这样的高智商犯罪分子斗智斗勇啊。

吴哲看陈升的烟抽完了，就又点燃一支，递给他，又问道："陈升，现在你可以解开最后的谜底了吗？告诉我，你是怎么用不到二十分钟从南区到北区杀了潘岩，又回到南区的？"

陈升眼望审讯室狭小的窗户，光明透过窗户射入屋内，映在他的脸上，他闭上眼，悠悠说道："当春季来临，风车就会转动，那是我和莹莹最美好的时光。"

"什么？"

　　"吴哲，告诉你吧，我是利用地下排水系统从南区到北区的，从正门走原本需要几十分钟的路程，我只要两分多钟就能搞定了。"

　　"地下？你是指从办公楼下去直通的那个地下广场吗？将要改成地下停车场的那个？"

　　"没错，就是那里。"

　　"那里？不可能！"吴哲说得斩钉截铁，"在地下，南北区如同地上一样也是被隔开的，是一堵墙。我在那里用了一个多小时排查，既没有通道也没暗门，根本不可能过去人，绝不可能。"

　　"呵呵，你现在看当然是看不出来的，你可以恢复小区里那个风车的转动再下去看看，你就明白了。"

　　"风车？那和地下有什么关系？"

　　"我曾告诉过你，原来的计划是那个风车和地下转门连接着。转门与风车同轴转动，每当风车转动，这个暗门就会显露出来。你还记得吗？我告诉你这个工程有数控系统，我在当初设计的时候安装了复位装置，每次停的时候暗门都会回到与墙平行的位置，几乎没有痕迹。这件事除了几个施工的人，只有我知道。我就是利用这一点用最短的时间穿行在南北区之间。至于那个监控盲区，是我半年前就拨开的，因为那里是通往地下通道的必经之路，我每天要从那里给夏莹莹送饭，为了不被其他人发现，就将摄像头拨开制造了盲区。"

吴哲脑子中闪现出那个大风车、昏暗的地下排水系统，以及拨开的监控摄像头，但他依旧有些不解："可是，你怎么确定我们无法查出来那个暗门呢？假如我们在风车转动的时候去调查地下排水系统，那你的伎俩就彻底暴露了。你对你自己的这个手法这么有信心吗？换句话说，你是如何算准我们无法发现你的手法的呢？"

陈升舒了口气，微笑着答道："任何事情都有漏洞，只要你留心，就能找到漏洞。暗门与风车是一体的，风车转它就转，风车停，它就停。潘氏地产香樟园小区发生命案，按照你们公安机关的程序，相关的施工和业务一定会被叫停。所以，风车停了，暗门也就消失了，你们也就发现不了我的手法了。"

"但这种事情事后难免会败露。"

"呵呵，等你们发现的时候，我早就带着莹莹和我们的孩子远走高飞了。有了那一百万，虽然不是很多，但也足够我们在三线城市买一套房子了，然后隐姓埋名活下去。"

吴哲怔怔地看着陈升，是什么让眼前这个普通的设计员有如此心智设计出这般"完美"的凶案？又是什么力量支持他能够完成如此精细的计划？

这其实是除了陈升如何穿越南北区这件事以外，吴哲最希望知道的事情，他问陈升："陈升，我不明白你为什么为了一百万就去杀人？你现在的薪水一个月也有五六千，以你的才华三年后工资翻番不成问题。一百万数目不算小，但对你来说也就是几年就能赚够的，你为了提前几年买房就用自己的人生冒险？这可不像你，我记得我们三个月前见面，你还说要慢慢攒钱，怎么突然就这么着急呢？"

陈升低下了头，默默抽着烟，足足顿了一分钟，审讯室内静悄悄的，吴哲、韩景天等人静静地看着陈升，等待着他的答案。烟雾之中，陈升缓缓说出了口："因为孩子。"

"孩子？"

"是的，就是孩子。自从知道夏莹莹怀了我的孩子，我就迫切地希望拥有一套属于我们自己的房子。我和夏莹莹什么苦都能受，可是我绝不能让我的孩子再过这种居无定所的生活。因此，我向潘高峰要了一百万，我杀了人。"

吴哲愕然，陈升的话与夏莹莹的竟然如出一辙，所求皆是房子，但是，他们彼此看似相同的话语却有天壤之别的含义。

忽然间，吴哲发觉陈升身上有一种别样的气息。看着眼前的陈升，这还是那个学生时代阳光聪明的人吗？还是那个和自己无话不谈的挚友吗？还是那个奋发有为的青年吗？

陈升看着吴哲，脸上浮现出无尽遗憾，他长叹一声，说："唉，我本打算嫁祸给潘高峰，可惜，人算不如天算，我机关算尽，反误了自己性命。"

吴哲明白陈升感慨的原因，说："你算准了时间，算准了方法，但是，你没有算准人。确切地说，你没有算准夏莹莹。她不但没有按照你的吩咐咬破潘高峰的手，反而主动举报你，将你的犯罪事实和盘托出，这是你失败的关键。'危楼高百尺'，危楼，陈升啊，你的危楼真的成了危险的楼，而你则成了这危楼里的囚徒。"

陈升神色黯然，良久，他抬头问吴哲："吴哲，我还是不明白，莹莹为什么要这么做？她为什么要举报我？是为了保护我们的孩子吗？"

吴哲本想将实情告诉陈升，但话到嘴边他却无法开口，毕竟这对陈升而言过于残忍，这比杀了他更让他难受。

陈升用哀求的口吻说："吴哲，我认罪伏法，只是，我求你一件事，我想在临死前见见夏莹莹。"

吴哲胸中一阵憋闷，无法排遣的压抑令他大脑缺氧，他有些头晕。他咬牙坚持不让自己失态。他没有答应陈升的要求，因为这是一个已经无法实现的要求。吴哲想：或许让陈升在死去前仍抱着希望就是对他最大的慈悲？！他便编造了一个善意的谎言说给陈升："你不能见夏莹莹，但是我可以告诉你，夏莹莹她很好，她之所以举报你就是为了保护你们的孩子。是这样的。"

陈升听罢，眼中光华闪烁，惊喜的样子像是一个单纯的稚童，他问："真的是这样吗？"

吴哲分明看到，那是期盼许久的愿望得以实现的神情，自己的这个谎言或许是陈升这辈子最感到欣慰的一句话吧？！

吴哲点了点头。

陈升释然地长出一口气，绷紧的身子松垮了下来，他眼中含泪，说："我和夏莹莹年轻时互相爱慕，我们一起上学，一起生活，一起来到这个陌生的城市。然后，我们有了孩子，按照我的计划我们以后会在自己的房子里，一起努力，培养我们的后代。孩子会有自己的房间，快乐地成长。唉，多么美好的生活啊，可惜，再也没了。"

陈升说着，复又昂起头："不过，没关系，我死了，夏莹莹也可以用那一百万付首付买套房子，够她和孩子住了，我没有牵挂了。"

吴哲嘴唇已经开始颤抖，他不知道该说些什么了。

忽然，陈升又微笑着看着吴哲，对他说道："吴哲，你刚才说得对，危楼，高楼，令人神往的住所，可实际上那里却是囚禁我的墓地。其实我早就料到会是这个结局，案发前几天我请你吃饭，就是想见你最后一面。只不过……只不过我料到了结果，却没有料到过程，案子竟然是由你来侦破，最后是我最好的朋友让我认罪……不过，这样也好，对我来说这恐怕是最理想的结局了，输在你手中我心甘情愿。吴哲，我原本有些怨你不定潘高峰的罪，却揪住我不放，现在我不怨你，真的。"

说罢，陈升望着审讯室的那扇小窗户，吟唱起了那首《往日时光》："人生中最美的珍藏，还是那些往日时光，虽然穷得只剩下快乐，身上穿着旧衣裳……"

吴哲脑子嗡嗡的，他强忍住汹涌的呕吐感，想尽快结束这令他作呕的审讯。他什么也没说，快步冲出门外，他不理会韩景天在背后的呼叫，独自一人驾车直奔香樟园小区。

< 四十八 >

吴哲到香樟园小区以后，他命令物业开启那个大风车。

风车通电了，开始缓缓转动，吴哲快步冲进地下，在潮湿阴暗的地下广场中，他朝着那面墙缓缓走去，越来越近，呼吸越发沉重。

终于，他来到了那面墙跟前，他看到，一人高的暗门缓缓转动着。

吴哲看着那转动的门，忽然，他发现那门的内侧刻着密密麻麻的数字，于是他忙打开手机照过去。

吴哲看到，在转门的一侧，墙上面有次序地刻着"12:05""12:04""12:06""12:05"的字样，时不时地还会有这么几行字："情人节""莹莹生日""奋斗""努力"……

吴哲恍然大悟，这是陈升每天中午给夏莹莹送饭时经过的地方，陈升是在记录每天经过的时间，他不想晚一分钟给夏莹莹送饭。

恍然间，吴哲似乎看到陈升设计的这个地下排水系统建成后的样子，海量的水往来激荡，巨大的转门往复回旋。

　　吴哲似乎又看到，陈升的身影穿行在肮脏潮湿阴暗的暗门间，他匆匆忙忙，辛苦却又快乐，手中拎着饭盒，春夏秋冬，日日如此。

　　吴哲似乎又看到，每次陈升将字刻上的时候，他都会傻傻地，开心地，满足地笑……

　　可所有这一切美好，都被陈升杀人的动作打碎了。吴哲知道，等待陈升的将是冰凉的手铐和高高的围墙。

　　吴哲再也不愿承受这伤痛，此情此景就如同是一柄利刃刺入他的心尖，又像是一柄重锤狠狠地砸在他的胸口。

　　他快步跑出地下，冲出办公楼。

　　晶莹的月光射在他的眼中，吴哲眼含热泪仰望那缓缓转动的风车，四周高耸的楼群也无法遮掩它的奇丽。

图书在版编目（CIP）数据

危楼囚徒 / 何昆著. — 成都：四川人民出版社，
2016.5
　ISBN 978-7-220-09781-2

　Ⅰ.①危… Ⅱ.①何… Ⅲ.①推理小说—中国—当代
Ⅳ.①I247.5

中国版本图书馆CIP数据核字（2016）第060573号

WEILOU QIUTU

危楼囚徒

何昆　著

出 版 人	黄立新
产品经理	季思聪　冯宇骐
责任编辑	陈 欣
封面设计	@_叁囍
内文设计	伍 霄
责任校对	蓝 海
责任印制	王 俊

出版发行	四川人民出版社（成都槐树街2号）
网 址	http://www.scpph.com
E-mail	scrmcbs@sina.com
新浪微博	@四川人民出版社
微信公众号	四川人民出版社
发行部业务电话	（028）86259624　86259453
防盗版举报电话	（028）86259624
照 排	四川胜翔数码印务设计有限公司
印 刷	四川华龙印务有限公司
成品尺寸	145mm×210mm
印 张	11.25
字 数	194千
版 次	2016年5月第1版
印 次	2016年5月第1次印刷
书 号	ISBN 978-7-220-09781-2
定 价	35.00元